Gweld Sêr

Cythraul Canu

Cindy Jefferies

addasiad

Emily Huws

Argraffiad cyntaf: 2008

ⓗ addasiad Cymraeg: Emily Huws

Rhif rhyngwladol: 978-1-84527-160-2

Mae'r cyhoeddwr yn cydnabod cefnogaeth ariannol
Cyngor Llyfrau Cymru

Cyhoeddwyd yn wreiddiol yn Saesneg gan Usborne Publishing Ltd.
© testun Saesneg: Cindy Jefferies
Cyhoeddwyd yn Gymraeg gan Wasg Carreg Gwalch,
12 Iard yr Orsaf, Llanrwst, Conwy, LL26 0EH.
Ffôn: 01492 642031 Ffacs: 01492 641502
e-bost: llyfrau@carreg-gwalch.co.uk
lle ar y we: www.carreg-gwalch.co.uk

Argraffwyd a chyhoeddwyd yng Nghymru.

1 Cipio'r Cyfle
2 Seren y Dyfodol
3 Cyfrinach Ffion
4 Cythraul Canu!

1. Symbal a Drwm

"Fedri di ddal y drws 'ma?"

Roedd Dan James yn straffaglio i gario'i ddrwm bas i mewn i'r Adran Roc yn ddiogel. Doedd ganddo ddim cês drwm iawn, ac felly roedd yn rhaid iddo fod yn ofalus iawn gyda'r offeryn.

Neidiodd Ed Henderson, ffrind Dan a rannai ei ystafell, ar ei draed a daliodd y drws yn agored tra oedd Dan yn cario'r drwm i mewn ac yn ei roi i lawr.

"Wyt ti eisio help llaw efo'r gweddill?" cynigiodd Ed.

Nodiodd Dan yn ddiolchgar.

"Diolch. A Blwyddyn Newydd Dda, Ed."

Cerddodd y ddau fachgen ar hyd y coridor allan i nôl gweddill gêr drymio Dan. Dyma'r tro cynta iddo lwyddo i ddod â'i ddrymiau i Blas Dolwen, yr ysgol breswyl wych ar gyfer cantorion a cherddorion, cyfansoddwyr cerddoriaeth a disgyblion oedd yn gobeithio cael gyrfa yn y diwydiant cerddoriaeth. Roedd y rhan fwyaf o bobl yn dod â'u hofferynnau eu hunain efo nhw i'r ysgol, ond doedd gan fam Dan ddim car, ac roedd hi'n ddigon anodd i Dan ei hun ddod i'r ysgol. Yn ffodus iawn, y tro hwn roedd o wedi llwyddo i gael reid gyda rhywun roedd ei fam yn ei adnabod oedd â fan ddigon mawr i'w gario fo a'i ddrymiau.

Hyd yn hyn, roedd o wedi bod yn defnyddio drymiau'r ysgol. Roedd hynny'n iawn, ond roedd pawb yn gosod eu hofferynnau rhyw ychydig bach yn wahanol, felly byddai'n braf iawn cael ei ddrymiau ei hun yma, a chael gadael popeth yn eu lle yn union fel roedd o ei hun eisiau. Byddai'n cael eu cadw mewn ystafell ymarfer fechan, ond ar hyn o bryd roedd arno angen ei ddrymiau yn yr Adran Roc ar gyfer sesiwn jamio yn y bore.

Syllodd Ed ar y pedwar drwm arall a'r casgliad o symbalau a'u standiau yn y bocsys plastig yn aros i gael eu symud. "Pam na faset ti'n dysgu chwarae gitâr fel dwi'n 'neud?" pryfociodd. "Mae'n llawer haws i'w symud!"

Chwarddodd Dan. "Ond mae dy chwyddwr sain di'n drwm fel plwm!" protestiodd.

"Ydi," cyfaddefodd Ed. "A ges i focs effeithiau gwych yn anrheg Nadolig, felly mae'n rhaid llusgo hwnnw o gwmpas hefyd. Diolch byth nad oes angen unrhyw gyfarpar i 'neud i fy llais i weithio!"

"Haia, Dan! Haia!" Erin oedd yno, yn ffrwydro i mewn fel corwynt. Fel Dan, roedd hithau wedi cael ysgoloriaeth i ddod i Blas Dolwen ac roedden nhw yn yr un ysgol cyn dod yno. Yn wahanol i'r ddau fachgen, a oedd eisiau bod yn sêr roc, bwriadai hi fod yn gantores bop.

"Tydi hi'n braf bod yn ôl?" meddai hi'n llawn cyffro. "Waw! Dy ddrymiau di ydi'r rhain? Dwi ddim wedi'u gweld nhw o'r blaen. Mae'n rhaid nad oedd 'na ddim lle i symud yn dy lofft di gartref! Wyt ti eisio help?"

"Ydw!" meddai Ed cyn i Dan gael cyfle i ateb. "Fedri di ddal y drysau 'ma yn agored er mwyn i ni fynd â'r rhain i mewn?"

"Diolch!" meddai Dan. "Ardderchog!"

Gyda help Erin fuon nhw fawr o dro yn cario'r holl offer i'r Adran Roc. Edrychodd Dan ar y pentwr ac ochneidiodd.

"Bechod na fedra i fforddio chydig o gesys," meddai. "Byddai'r offerynnau yn fwy diogel o lawer, ac yn haws eu symud hefyd."

"Dim ots," meddai Ed. "Mae'r cyfan i mewn rŵan ac yn barod iti osod popeth yn ei le."

Chwarddodd Erin. " Fyddai gen i ddim clem lle i ddechrau," meddai. "Lle'r wyt ti'n mynd i'w rhoi nhw?"

Dilynodd Dan ei hedrychiad o amgylch yr ystafell. "Naill ai yn fan'na wrth y drws, neu yn y gornel acw," meddai gan gyfeirio ar draws yr ystafell. "Ond dwi'n meddwl y bydd fan'ma'n iawn am y tro – ar gyfer y sesiwn jamio."

"Be 'di hwn?" gofynnodd Erin, gan gydio mewn ffon arian wedi'i phlygu'n gam.

"Un o goesau'r tom llawr. Yli, mae 'na ddwy arall. Ti'n eu rhoi nhw at ei gilydd fel hyn."

"Af i i roi trefn ar fy ngitâr, os wyt ti'n iawn rŵan, Dan," meddai Ed.

Cododd Dan ei ben. Roedd hi'n amlwg fod Ed yn ysu am fynd i wneud ei gitâr a'i chwyddwr llais yn barod erbyn y bore. "Ydw, diolch," meddai, ac i ffwrdd ag Ed at ei offerynnau ei hun.

Roedd pethau'n poethi yn yr ystafell, gyda gitarau a chwyddwyr sain, ceblau a meicroffonau ym mhobman a'r lle'n berwi o sŵn sgwrsio cyffrous. Yna daeth Huwcyn ap Siôn Ifan, Pennaeth yr Adran Roc, i mewn. Tawodd pawb a rhoi'r gorau i beth bynnag roedden nhw'n ei wneud.

"Croeso'n ôl!" meddai. "Pawb wrthi fel lladd nadroedd – da iawn! Dyna braf eich gweld chi i gyd mor awyddus!" Sylwodd ar Ed yn cydio ym mhlwg ei chwyddwr sain. "Ed, mae 'na soced trydan arall tu ôl i'r llenni," meddai wrtho. "Bydda i yn fy swyddfa os byddwch chi f'angen i," ychwanegodd, gan gamu'n ofalus ar draws yr ystafell at y drws arall.

Roedd gan bawb barch mawr at Huwcyn. Fo oedd yr athro hynaf ym Mhlas Dolwen ac wedi bod yn chwarae gitâr efo rhai o'r enwau enwocaf yn y byd cerddoriaeth yn ei ddydd. Roedd ei gagla rasta wedi britho, ac roedd o'n ddigon hen i fod yn daid i

Dan, ond creu cerddoriaeth oedd ei fywyd, a doedd neb tebyg iddo am ysbrydoli ei fyfyrwyr.

"Diolch mai dim ond dau ddrymiwr sy 'na yn yr ysgol isa," meddai Erin. "Dwi ddim yn meddwl y byddai 'na le i chwaneg! O! Mae Llywela yn fan'cw. Af i ddweud helo ac wedyn gwell imi fynd o dan draed pawb."

Cododd Dan ei law ar yr eneth a rannai ystafell ag Erin cyn ailddechrau gosod ei ddrymiau yn eu lle. Prynu'r offerynnau yn ail-law wnaeth o, ac roedd rhai gwell yn bod, ond roedd o'n hoff iawn ohonyn nhw i gyd. Gartref, roedd yn rhaid iddo ddefnyddio clustogau tawelu arbennig rhag iddo darfu ar y cymdogion. Yn awr ysai am glywed beth fedrai popeth ei wneud go iawn. Roedd ganddo bob math o gynlluniau i brynu symbalau gwell hefyd, ond roedd symbalau'n ddrud ddifrifol a byddai'n rhaid iddo gynilo tipyn go lew o arian pen-blwydd a Nadolig cyn y gallai fforddio rhai newydd. Yn y cyfamser, roedd ganddo bâr newydd o ffyn drymio, rhai gwirioneddol dda roedd ei fam wedi'u rhoi iddo'n anrheg Nadolig, ac roedd hynny'n ddechrau da.

Rhoddodd Dan y pedal bas yn ei le a gosododd weddill y drymiau o flaen ei stôl ddrymio. Roedd ei symbalau mewn hen focs plastig wedi eu lapio'n ddiogel mewn darnau o blanced roedd o wedi'u cael gan ei fam. Yn gyflym, cododd eu standiau a gosododd ei hoff symbal, un crash, yn ei le. Roedd o wrthi'n gosod y symbal ar gyfer cadw curiad cyson pan agorodd y drws yn sydyn.

Gwthiodd Charlie Owen ei hun i mewn i'r ystafell gyda'i freichiau o amgylch cês drwm mawr. Ar ben hwnnw roedd dau gês llai, a hongiai bag symbalau o un llaw.

"Dwi wedi cyrraedd!" cyhoeddodd wrth gerdded drwy'r ystafell yn llanc i gyd.

"Ara deg!" rhybuddiodd amryw wrth iddo sgubo yn ei flaen. Ond fedrai Charlie ddim gweld i ble'r oedd o'n mynd oherwydd y llwyth a gariai yn ei freichiau, ac er i Dan roi bloedd arall, baglodd wysg ei gefn dros y symbal.

Crash! Syrthiodd y symbal.

Cythrodd Ben Peters, bachgen arall a rannai

ystafell efo Dan, i gydio yn Charlie fel nad oedd o'n syrthio ar ei ben i ganol drymiau Dan.

"Haia, Ben," meddai Charlie wrth roi ei gesys a'i fag symbalau ar y llawr o flaen drymiau Dan. "Mae'n ddrwg gen i am hynna," ychwanegodd, a throi at Dan. Pan welodd ddrymiau Dan, lledodd gwên dros ei wyneb ac yna chwibanodd, yn hir ac yn isel.

"*Chdi* biau'r rhain i gyd?" gofynnodd wrth chwifio'i law o flaen y drymiau, y symbalau a'r casgliad o focsys blêr roedd Dan yn eu dadbacio.

"Ie," meddai Dan, a chodi ei symbal i'w archwilio'n bryderus. Yn ffodus, edrychai'n iawn.

"Allan o gracer Dolig gest ti hwn?" gofynnodd Charlie wrth gydio'n un o standiau Dan a ffidlan efo fo.

"Paid!" meddai Dan wrtho'n bigog. "Mae'r stand yna braidd yn sgi-wiff. Mae angen gofal wrth ei osod o."

"Betia i fod," cytunodd Charlie a'i roi yn ôl. "Mae angen tipyn o standiau ar gyfer gwaith trwm fel sy gen i," ychwanegodd. "Mae Dad yn defnyddio'r un rhai â fi pan fydd o'n teithio efo'i fand. Maen nhw'n anhygoel. Oes gen ti symbalau *Zildjian*?" holodd.

Ysgydwodd Dan ei ben. "Nac oes," cyfaddefodd.

"Prynodd fy rhieni set o rai wedi eu gwneud â llaw i mi yn anrheg Dolig," meddai Charlie wrtho. "Ac mae gen i symbal curiad cyson *anferth* rŵan. A dweud y gwir, wn i ddim pam roeddet ti'n trafferthu dod â dy gêr drymio di yma, Dan. Chlywi di ddim byd pan fydda i'n chwarae!"

Gwyliodd Dan Charlie yn cario'i bethau i ochr draw'r ystafell ac yn tynnu'i ddrymiau allan o'u cesys caled, cadarn. Er ei fod o'n ymdrechu'n galed i beidio malio, roedd brolio Charlie wedi difetha pleser Dan o gael ei ddrymiau ei hun yn yr ysgol. Edrychodd ar ei symbalau rhad ac ochneidiodd, a'i hapusrwydd wedi diflannu. Gobeithio na fyddai'n difaru dod â'i offerynnau i'r ysgol.

2. Sesiwn Jamio

Drannoeth roedd Dan yn dyheu am fynd yn syth i'r Adran Roc, ond fedrai o ddim. Er bod Plas Dolwen yn ysgol ar gyfer pobl oedd eisiau bod yn gerddorion pop a roc, roedd yn rhaid iddyn nhw astudio'r pynciau ysgol arferol hefyd. Felly roedd yn rhaid i Dan a'i ffrindiau ddioddef mathemateg, Ffrangeg a gwyddoniaeth cyn cael mynd i wers roc gynta'r tymor.

Byddai pawb wrth eu bodd gyda sesiynau roc Huwcyn ap Siôn Ifan ar ddechrau'r tymor. Dyna gyfle cynta pawb i chwarae efo'i gilydd ar ôl dod yn ôl i'r ysgol, a defnyddiai'r athro y cyfle hwnnw i weld faint o waith roedden nhw i gyd wedi'i wneud yn ystod y gwyliau.

Y tymor diwethaf oedd y tro cynta i griw Dan gael sesiwn jamio, a doedd neb yn gwybod beth i'w wneud yn iawn. Ond y tymor yma, roedd pawb yn adnabod ei gilydd ac yn gwybod beth oedd y disgwyliadau, felly byddai'n hwyl. Roedd Dan, beth bynnag, wedi bod yn edrych ymlaen at y sesiwn ers i'r ysgol dorri ar gyfer y gwyliau Nadolig.

"Dwi wedi bod yn ymarfer trawiadau ymyl," meddai wrth Ed. "Hen betha digon anodd."

"Dw inna wedi bod wrthi am hydoedd dros y Dolig yn arbrofi efo synau gitâr a 'mocs effeithiau newydd," meddai Ed. "Bron imi yrru fy rhieni'n wallgo!"

Pan gyrhaeddon nhw'r ystafell ymarfer fawr, roedd Llywela eisoes wedi plygio'i gitâr fas ac yn chwarae tipyn o jazz er mwyn cynhesu. Aeth Ed draw at Ben oedd yn tiwnio'i gitâr. Cododd Dan ei law arno a llithro tu ôl i'w offerynnau. Eisteddodd a chodi'r ffyn o'r lle'r oedd o wedi'u gadael nhw ar ei ddrwm snêr.

Edrychodd o amgylch yr ystafell yn fodlon. Er gwaethaf Charlie – oedd yn eistedd tu ôl i'w gêr drudfawr gan edrych i lawr ei drwyn arno – teimlai Dan ei bod hi'n fraint fawr cael bod yno ynghanol cerddorion eraill: y rhan fwyaf yn gitarwyr, ambell un yn chwarae'r sacs, un ar allweddell, ac wrth gwrs, Charlie ac yntau ar y drymiau.

Plygiodd Ed ei gitâr i mewn i'w chwyddwr sain ac ymunodd â nhw, gan godi tiwn uwchben nodau bas Llywela.

Dechreuodd Dan drwy dapio'n dawel ar ei het-uchel, a nodiodd Llywela'n gefnogol. Doedd hi ddim yn un i wenu'n aml, ond gwyddai Dan ei bod hi'n mwynhau ei hun.

Y nesa i ymuno oedd Charlie, ond yn lle dechrau'n dawel fel pawb arall, dechreuodd ddyrnu ei offerynnau gyda churiad gwahanol i'r lleill a boddi eu sŵn i gyd.

Rhoddodd Dan y gorau i chwarae ac ochneidiodd. Roedd Charlie'n dangos ei hun fel arfer. Rhoddodd Llywela ei gitâr fas i lawr cyn mynd draw at Dan a golwg flin arni.

"Sesiwn jamio ydi hwn i fod, nid cyfle i Charlie Owen ddangos ei hun!" gwaeddodd uwchben y randibŵ.

Chwyddodd Ed a Ben eu sain nhw, er mwyn

herio Charlie, ac roedd Harri Richards yn gwneud ei orau ar y sacs hefyd, ond curodd Huwcyn ap Siôn Ifan ei ddwylo i dawelu pawb. Yn araf, rhoddodd pawb y gorau i chwarae a gwrando.

"Diolch yn fawr, bawb," meddai Huwcyn. "A Charlie hefyd," ychwanegodd, wrth i Charlie dewi ymhell ar ôl pawb arall. Chwarddodd amryw o bobl, a churodd Harri, un o ffrindiau Charlie, ei gefn.

"Roeddwn i'n hoffi'r riff 'na roeddet ti'n chwarae, Ed," meddai Huwcyn. "Dewch inni ei chodi a dal ati efo hi … i weld ble'r awn ni." Cydiodd mewn hen gitâr dolciog a nodiodd ar Ed. Gwridodd Ed, wedi'i blesio, a chwaraeodd y nodau uchel, treiddgar unwaith eto. Dechreuodd Huwcyn ap Siôn Ifan gyfansoddi i gyd-fynd ag o. Gwenodd Dan ynddo'i hun ac ailddechrau drymio'n dawel. Yn araf, ymunodd pawb arall, gan gyfansoddi eu harmoni eu hunain o amgylch alaw Ed. Edrychodd Dan draw i gyfeiriad Charlie, oedd wedi llwyddo i ffrwyno'i frwdfrydedd ac yn cydchwarae â phawb arall. Edrychai ei gêr drymio sgleiniog coch yn anhygoel ac roedd yn rhaid i Dan gyfaddef eu bod nhw'n swnio'n wych hefyd. *Paid â phoeni,* meddai wrtho'i hun. *Sut wyt ti'n chwarae sy'n bwysig.*

Ac wedyn … cyrhaeddodd yr adeg hollbwysig pan oedd yn rhaid iddyn nhw i gyd fod ar flaenau'u traed. Unwaith roedd pawb wedi dod yn gyfforddus wrth chwarae gyda'i gilydd, byddai Huwcyn yn nodio ar bawb yn ei dro er mwyn iddyn nhw gyfansoddi rhan unigol, gan ddal i gynnal rhythm gwreiddiol y darn.

Ed oedd y cynta, ac yna Harri. Yna nodiodd Huwcyn ar Dan, a chydiodd yntau yn y rhythm tra oedd pawb arall yn gwrando. Roedd ar Dan ofn nad oedd yn swnio'n rhyw dda iawn, ond cafodd ei blesio'n fawr gan ansawdd sain ei hen ddrymiau. Teimlai'n falch ei fod wedi cynilo'i arian er mwyn rhoi crwyn newydd arnyn nhw. Roedd o'n benderfynol o arddangos ei drawiadau ymyl hefyd, a llwyddodd i wneud tri cyn i Huwcyn wenu arno, a nodio ar Llywela i barhau.

Tro Charlie oedd hi wedyn. O gofio mai Charlie oedd o, roedd o'n ymatal yn eitha da fyth. Gwrandawodd Dan yn ofalus ac roedd yn rhaid iddo gyfaddef iddo'i hun fod symbalau Charlie yn swnio'n llawer gwell na'i rai o. Roedd hi'n amlwg fod cregyn drymiau gweddol rad yn gwneud y tro yn iawn, ond na fyddai ei symbalau rhad wedi eu gwasgu â pheiriant byth yn swnio gystal â'r offerynnau gorau oedd wedi eu gwasgu â llaw. Hen dro nad oedd chwarae braidd yn ffwrdd-â-hi Charlie yn gwneud cyfiawnder â nhw.

Unwaith roedd pawb wedi chwarae unawd, aeth Huwcyn ar y blaen ar ei gitâr ac arwain y sesiwn i'w derfyn gydag uchafbwynt uchel, buddugoliaethus.

"Mmm, da iawn," meddai wrthyn nhw. "Mae'n amlwg fod y rhan fwya ohonoch chi wedi gwneud tipyn o waith yn ystod y gwyliau. Dan, fedri di 'neud un arall o'r trawiadau ymyl ardderchog 'na wnest ti?" gofynnodd.

Cododd Dan ei ben yn syn. Cymerodd anadl ddofn, anelodd yn ofalus at ei ddrwm snêr a tharo trawiad ymyl perffaith.

"Am faint fuost ti'n ymarfer i gael y rheina'n iawn?"

Cododd Dan ei ysgwyddau. "Tipyn go lew,"

cyfaddefodd.

Nodiodd Huwcyn. "Mae'n anodd iawn taro croen ac ymyl y drwm ar yr un pryd. Mae hynny'n gofyn am dipyn o grefft a dweud y gwir. Da iawn ti. Bydd dy athro drymio di wrth ei fodd hefyd dwi'n siŵr." Gwridodd Dan. Canmoliaeth ar ddiwrnod cynta'r tymor! Dyna braf! Ond doedd Huwcyn ap Siôn Ifan ddim wedi gorffen. "Roedd sŵn digon cryf yn dod o'n drymiau eraill ni hefyd," meddai, gan edrych ar Charlie. "Ond i jamio'n llwyddiannus, mae angen iti ddal sylw be mae pawb arall yn 'neud."

Gwenodd Charlie, ond roedd golwg fel petai rhyw fymryn o gywilydd arno, ac edrychai braidd yn bigog.

"Iawn – dyna ni, bawb," meddai Huwcyn. "Mae'n amser cinio. Gitarwyr, cofiwch dynnu'r chwyddwyr sain o'r socedi trydan. A phawb i gofio edrych ar yr hysbysfwrdd i weld pryd mae eu gwersi unigol nhw."

Yn yr ystafell fwyta, cyfarfu Dan â gweddill ei ffrindiau. Roedd Cochyn – dawnsiwr a oedd yn rhannu ystafell wely ag o – wedi cadw lle i griw'r Adran Roc, felly cipiodd Dan, Tara, Ed a Ben eu cinio a mynd i eistedd efo'r lleill.

"Sut aeth hi?" gofynnodd Cochyn.

"Gwych," atebodd Dan. "Andros o hwyl."

"Ac roedd Huwcyn ap Siôn Ifan yn ei frolio fo," meddai Llywela. "Cafodd o'i ganmol fel … fel anifail anwes wedi gwneud tric da!"

"Paid â gwrando arni hi," meddai Ffion Lewis, un o'r efeilliaid oedd yn enwog am fodelu dillad, ond oedd wedi dod i'r ysgol i geisio cael eu pig i mewn i'r diwydiant cerddoriaeth.

"Mae pawb yn gwybod dy fod di'n gweithio'n galed," ychwanegodd Fflur, ei hefaill.

" 'Taswn i'n anifail anwes, be faswn i?" gofynnodd Cochyn, a'i fop o wallt coch yn sboncio'n wyllt ar ei ben.

Edrychodd Dan ar ei ffrind a gwenodd. "Ieti," meddai.

"Choelia i fawr!" protestiodd Cochyn gan chwerthin. "Dwi'n dawnsio'n well nag unrhyw Ieti!"

"Ydi pawb eisio pwdin siocled?" gofynnodd Erin a chodi ar ei thraed.

"Helpa i di," cynigodd Dan.

Roedd Charlie wrth y lle rhannu bwyd efo'i ffrind Harri.

"Wel, dyma Dan James berffaith," gwawdiodd Charlie, "efo'i gêr drymio anobeithiol. Sut mae'r stand simsan?"

"Iawn," meddai Dan yn dawel wrth osod y powlenni o bwdin siocled ar ei hambwrdd.

"Be oedd hynna?" holodd Erin fel roedden nhw'n mynd yn ôl at y lleill. "Be sy'n bod ar dy gêr drymio di?"

"Dim byd," meddai Dan wrthi, "dim ond nad ydi o gystal â'i un o. Ond dwi ddim yn meddwl fod Charlie'n rhyw falch iawn fod Huwcyn wedi awgrymu nad oedd o wedi gwneud fawr o waith yn ystod y gwyliau."

"Wel, ddylet ti ddim fod wedi gwneud gystal ag y gwnest ti," oedd cyngor Llywela wrth gydio mewn powlen oddi ar yr hambwrdd. "Mae'n siŵr dy fod di wedi codi cywilydd arno fo!"

"Nid arna i mae'r bai fod Charlie heb ymarfer," protestiodd Dan. Cydiodd mewn powlenaid o bwdin iddo fo ei hun a gwthiodd y lleill tuag at Fflur a Ffion.

Chafodd o ddim cyfle i roi llwyaid o bwdin yn ei geg cyn i Llywela sibrwd o dan ei gwynt, "Charlie ar ei ffordd." Ac yn wir, dyna lle'r oedd Charlie a Harri yn dod tuag atyn nhw. Gwthiodd y ddau tu ôl i Dan, ac wrth fynd heibio, rhoddodd Charlie sgwd i'w gadair. Tra oedd Dan yn ceisio peidio syrthio oddi ar y gadair, taflodd Charlie rywbeth dros bwdin Dan.

"Hei!" meddai Cochyn. "Be wyt ti'n 'neud?"

"Rhoi gwobr iddo fo am fod mor glyfar," meddai Charlie gan wenu, a diflannodd Harri ac yntau o'r ystafell fwyta.

"Be ydi o?" gofynnodd Erin, a syllu i bowlen bwdin Dan. Cododd Cochyn fymryn o'r pwdin – a'r stwff gwyn roddodd Charlie drosto – ar flaen ei lwy.

"Gallai o fod yn wenwyn!" rhybuddiodd Ffion yn bryderus. Ond dim ond am eiliad y petrusodd Cochyn.

"Dydi hyd yn oed Charlie Owen ddim mor hurt â hynny," meddai Cochyn wrthi cyn blasu'r stwff gwyn. "Halen! Ych a fi! Am hen dric budur."

"Dim ots," meddai Dan a chydio'n y bowlen. "Medra i grafu'r halen sy ar ei ben o."

Ond roedd y pwdin i gyd wedi'i ddifetha, a phan aeth Ffion i nôl powlenaid arall iddo, doedd dim un ar ôl. Cynigodd pawb ran o'u pwdinau iddo fo, ond gwrthododd Dan.

"Roeddwn i bron yn llawn beth bynnag," mynnodd yn dawel, er ei fod, a dweud y gwir, yn flin fel tincer efo Charlie. Fu gan Dan erioed elynion o'r blaen. Ond yn awr, er nad arno fo roedd y bai o gwbl, roedd o wedi tynnu Charlie Owen i'w ben.

"Bydd Charlie wedi anghofio am hyn cyn bo hir," meddai'n obeithiol wrth Cochyn pan oedden nhw ar y ffordd i'r wers hanes. "Ella nad oes gan y ddau ohonon ni fawr i'w ddweud wrth ein gilydd, ond doedd 'na ddim hen ddrwgdeimlad annifyr rhyngom ni'r tymor diwethaf. Fydd o fawr o dro yn sylweddoli ei bod hi'n fwy o hwyl bod yn ffrindiau efo'r unig ddrymiwr arall yn yr ysgol isa, yn hytrach na thynnu'n groes iddo fo. Mae Ed yn treulio oriau yn trafod y gitâr efo'r gitarwyr eraill, ac rwyt titha'n ffrindiau efo'r dawnswyr eraill. Does gan Charlie a finna ddim ond y naill a'r llall i drafod drymio."

"Wel, os na fydd o'n rhoi'r gorau i'w lol yn fuan

iawn, bydd yn rhaid iti ddechrau dawnsio a dod aton ni," heriodd Cochyn.

"Dim ffiars o beryg, boi bach!" chwarddodd Dan. "Na, bydd popeth yn iawn, cei di weld. Bydd Charlie'n blino herio a thynnu'n groes cyn bo hir. Fedr o ddim brolio ynghylch ei gêr drymio a bod yn annifyr ar yr un pryd, na fedr?"

3. Galw am Ddrymiwr

Cafodd Dan lonydd gan Charlie am y deuddydd neu dri nesa. Roedd pawb yn brysur yn dod yn ôl i drefn bywyd ysgol, ac yn fuan iawn, roedden nhw fel petaen nhw erioed wedi bod oddi yno.

Yn y gwasanaeth boreol, atgoffodd Mrs Powell, y pennaeth, fod angen i bawb drefnu beth roedden nhw'n mynd i'w berfformio yn y cyngerdd cynta a gâi ei gynnal ychydig cyn hanner tymor.

"Dwi'n sylweddoli fod hanner tymor yn edrych yn bell iawn ar hyn o bryd," meddai, "ond bydd o yma cyn ichi droi. Cofiwch fod eich perfformiadau cyngerdd chi'n bwysig, felly mae'n rhaid ichi ddechrau trefnu rhag blaen, gan gofio, wrth gwrs, ei bod hi hefyd yn amser paratoi at Eisteddfod yr Urdd."

Ar ôl y gwasanaeth, roedd Dan ar fin gadael am wers gynta'r diwrnod gyda gweddill y disgyblion, pan wthiodd Rhian Morris drwy'r dyrfa ac anelu ato.

"Dan! Aros am funud bach!"

Arhosodd Dan. Roedd Rhian rhyw flwyddyn neu ddwy yn hŷn nag o, ac yn bianydd hynod o dda. Doedd Dan erioed wedi siarad efo hi o'r blaen.

"Rhyw feddwl oeddwn i, tybed hoffet ti gydweithio efo fi ar ddarn dwi'n 'neud i ddawnswyr yr ysgol isa ar gyfer y cyngerdd hanner tymor?" gofynnodd.

Rhythodd Dan arni. "Wir? Pam fi?"

Doedd Rhian ddim yn chwarae cerddoriaeth roc a doedd Dan ddim yn medru deall pam roedd hi eisiau iddo fo chwarae efo hi.

"Mae Mr Penardos, yr athro dawns, am ddefnyddio darn o'r enw *'Clec y Gwn'* dwi wedi'i gyfansoddi, ac mae angen drymiau," eglurodd Rhian. "Awgrymodd Huwcyn ap Siôn Ifan 'mod i'n gofyn i ti chwarae efo fi am dy fod di'n medru chwarae trawiadau ymyl yn dda."

"Mae hi'n dweud y gwir," torrodd Cochyn ar ei thraws. "Dan ni *yn* paratoi dawns o'r enw *'Clec y*

Gwn'. Mae o'n ddarn hynod o drist. Bachgen ifanc –
rhyfelwr Affricanaidd – sy'n cael ei ladd ar y diwedd
dwi. Ty'd 'laen, Dan. Dweud y gwnei di. Gawn ni
hwyl efo'n gilydd!"

"Wel … iawn. Wrth gwrs!" meddai Dan, wedi'i
blesio'n arw iawn. Er nad oedd yn gerddoriaeth roc,
byddai'n ddiddorol cyfeilio i ddawns Cochyn ac
roedd cael y cynnig yn anrhydedd mawr. A Huwcyn
ap Siôn Ifan ei hun oedd wedi ei gymeradwyo!
Waw!

Ond doedd Charlie Owen ddim yn cytuno. "Trist
iawn!" meddai'n syth bin ar ôl i Rhian droi'i chefn.
"Does gen ti ddim byd gwell i'w 'neud ar gyfer y
cyngerdd? Chwarae efo Rhian fach er mwyn y
dawnswyr del? Cerddor roc wir!"

"Dan ni'n cael perfformio mwy nag un eitem yn y
cyngerdd," oedd ateb parod Dan. "Dwi wedi bod yn
ystyried chwarae unawd hefyd."

"Syniad da," chwarddodd Charlie. "Oherwydd
fydd 'na'r un rocar go iawn eisio chwarae efo chdi ar
ôl iddyn nhw dy weld di ar y llwyfan efo Rhian. Piano
wir! Hei, Llywela!" galwodd. "Wyt ti awydd chwarae

bas efo fi a Harri yn y cyngerdd?"

Crychodd Llywela ei thrwyn. "Go brin," meddai hi wrtho. "Roedd Ed a finna'n mynd i ofyn i ti, Dan. Wnei di chwarae efo ni, gwnei? Mae'n debyg mai Ben fydd y prif gitarydd ac Ed yn chwarae rhythm."

Petrusodd Dan. Rhywfodd roedd o wedi cymryd yn ganiataol y byddai Ed, Ben, Llywela a fo'n dod at ei gilydd i ffurfio band ar gyfer y cyngerdd, gan eu bod nhw i gyd yn chwarae'n dda efo'i gilydd. Ond os oedd Charlie eisiau i Llywela chwarae efo fo, efallai na fyddai'n beth clên iawn i Dan ei hawlio hi. Roedd o wedi addo chwarae efo Rhian hefyd, ac roedd o eisiau gwneud unawd.

"Ym ... wel ... baswn i wrth fy modd, ond pam na wnei di chwarae efo Charlie am newid?" awgrymodd Dan. Yna cafodd ysbrydoliaeth sydyn. "Be am iti 'neud un gân efo fo ac un arall efo fi hyd yn oed!" ychwanegodd. Ysgydwodd Llywela ei phen.

"Dwi'n chwarae unawd yn barod," meddai wrtho. "Dwi'm eisio 'neud tri darn. Ella dy fod di'n medru gwneud tri, Dan, ond mae hynny'n ormod i mi.

Mae'n well gen i chwarae'n wirioneddol dda ddwywaith na chwarae deirgwaith yn flêr. Ac mae darn yr Urdd gen i i'w ddysgu hefyd. Wnei di chwarae efo ni, gwnei?"

"Ond be am Charlie?" gofynnodd Dan yn bryderus.

Edrychodd Charlie yn gas arno, a'i wyneb yn fflamgoch. "Does arna i ddim angen *i ti* drefnu pwy sy'n chwarae efo fi, Dan James," meddai. "Medra i ddod o hyd i f'aelodau band fy hun, diolch yn fawr."

Heb dynnu'i lygaid oddi ar Llywela, gwthiodd heibio iddi a dweud, "Dy golled di ydi o."

"Www ... dwi'n crynu'n fy sgidia!" wfftiodd Llywela. "Fel 'tawn i'n poeni am beidio cael chwarae efo Charlie a Harri! Mae'n well gen i chwarae efo cerddorion da na rhai efo pennau mawr. Pam wnest ti drio 'nghael i i chwarae efo fo?" gofynnodd i Dan. "Dwyt ti ddim eisio bod mewn band efo fi?"

"Na, nid dyna oeddwn i'n feddwl!" protestiodd Dan. "Ond roedd golwg ddigalon ar Charlie pan wrthodaist ti chwarae efo fo, ac roedd Rhian eisoes wedi gofyn i mi chwarae efo hi. Teimlo braidd yn annifyr yn derbyn y ddau beth oeddwn i."

"Petai Charlie yn well drymiwr, byddai mwy o bobl yn gofyn iddo fo," meddai Llywela heb flewyn ar ei thafod. "Ond mae o'n rhy ddiog i ymarfer yn iawn."

"*Mae* o'n ddrymiwr da pan fydd o'n gweithio ac yn rhoi'r gorau i frolio," meddai Dan.

"Wel, does arna inna ddim angen i ti ddweud wrtha i efo pwy dylwn i chwarae," meddai Llywela yn bigog. "Na Charlie chwaith." Arafodd er mwyn i'r efeilliaid gyrraedd ati, am ei bod eisiau siarad efo'r ddwy. Griddfanodd Dan.

"Dwi'n tynnu pawb i 'mhen heddiw," meddai wrth Cochyn.

"Rwyt ti'n gwybod sut un ydi Llywela," meddai Cochyn. "Pigog – ond byth yn dal dig."

"A be am Charlie?" meddai Dan. "Dwi wedi tynnu blewyn o'i drwyn o eto, a finna'n ymdrechu'n galed i fod yn ffrindiau efo fo."

"Nid arnat ti mae'r bai," meddai Cochyn, "ond 'tawn i yn dy le di, byddwn i'n cadw'n ddigon pell oddi wrtho fo am dipyn."

4. Eiddigedd

Doedd hi ddim yn hawdd osgoi Charlie. Wedi'r
cyfan, roedd o a Dan yn yr un flwyddyn, yn cael
gwersi gyda'i gilydd, a Charlie fel petai'n dal dig o
hyd. Er bod Dan yn gwneud ei orau glas i geisio
ymddangos fel nad oedd ots ganddo am beth roedd
Charlie yn ei wneud, roedd o'n dechrau mynd dan
ei groen.

"Mae'n rhaid iti 'neud rhywbeth," meddai Erin
wrtho ar ôl i Charlie ei faglu yn y coridor a rhoi proc
i'w fraich amser swper, gan wneud iddo golli siocled
poeth dros ei jîns.

"Ella gwnaiff o roi'r gorau i'w lol ar ôl gweld nad
ydw i ddim yn cynhyrfu o gwbl," meddai Dan yn
obeithiol.

Ond wnaeth Charlie ddim rhoi'r gorau i'w herio
diddiwedd, ac yn waeth fyth, dechreuodd ffrind

gorau Charlie wneud bywyd yn boen i Dan hefyd. Hen sinach cas oedd Harri Richards, ffrind Charlie – hyd pen ac ysgwyddau yn dalach na Dan ac yn llabwst cryf hefyd. Pan drawodd y ddau yn erbyn Dan a chymryd arnynt mai damwain oedd hi, syrthiodd Dan yn galed yn erbyn y wal a chleisio'i ysgwydd. Y noson honno bu am hydoedd yn ceisio gwneud ei hun yn ddigon cyfforddus i fedru cysgu.

Dwi'n medru drymio o hyd beth bynnag, er ei fod o'n boenus, meddai wrtho'i hun wrth droi yn ofalus yn y gwely. Byddai ysgwydd wedi cleisio yn gwella, a doedd Dan ddim yn un i godi twrw. Ond yn ystod y dyddiau nesa, er iddo obeithio y byddai Charlie yn 'laru ar godi helynt, cael ei siomi wnaeth Dan.

"Ble rwyt *ti'n* mynd felly?" gofynnodd Charlie wrth ddod wyneb yn wyneb â Dan ar y coridor fore trannoeth. Suddodd calon Dan. Roedd Cochyn a'r lleill wedi gwisgo'u dillad chwaraeon yn gynt nag o, felly roedd o ar ei ben ei hun. Fel arfer yn y cyfnod rhwng gwersi, byddai'r coridor yn llawn o bobl yn mynd a dod, ond yn anffodus i Dan, doedd yr un enaid byw o gwmpas erbyn hyn. Ceisiodd edrych yn hyderus.

"I'r wers hanes, fel chditha," atebodd yn glên.

"Ha! Nage! Mae'n rhaid i mi golli hanes heddiw. Dwi'n cael gwers ddrymio," meddai Charlie.

Er i Dan geisio mynd heibio, rhwystrodd Charlie o. Roedd o'n amlwg eisiau codi twrw.

"Fyddi di ddim angen y rhain yn y wers hanes, na fyddi?" meddai, a chyn iddo allu ymateb, plyciodd Charlie y bag oddi ar ysgwydd Dan a chipio'r ffyn drymio oedd â'u pennau allan o geg y bag. "Del!" meddai wrth eu hedmygu. "Ga i eu benthyg nhw?"

Petrusodd Dan. Doedd Charlie ddim angen benthyg ei ffyn drymio fo mewn gwirionedd. Roedd ganddo bentwr ohonyn nhw, a digon o arian i brynu mwy. Ond roedd pres yn brin yn nheulu Dan, a'r rhain oedd yr unig ffyn parchus oedd ganddo.

Crechwenai Charlie. Doedd o ddim fel petai'n disgwyl cael ateb.

"Fe ro' i gynnig arnyn nhw," meddai, yn wên o glust i glust. Ceisiodd Dan beidio gwingo wrth i Charlie eu dyrnu'n erbyn y wal, ond wnaethon nhw ddim torri, diolch byth, am eu bod nhw wedi'u gwneud o bren derw.

"O, bechod!" meddai Charlie, gan wenu'n llon ar Dan. "Ydi hwn wedi bylchu? Be wyt ti'n feddwl?" gofynnodd i Harri Richards, oedd newydd gyrraedd atyn nhw.

Cytuno wnaeth Harri, wrth gwrs. "Ydi, mae o."

"Ty'd 'laen, Charlie. Rho'r gorau i rwdlian a rho nhw'n ôl i mi," meddai Dan, gan geisio cuddio'r cynnwrf oedd yn dechrau berwi tu mewn iddo. Petai'n dangos ei fod o'n pryderu am ei ffyn drymio, byddai lol Charlie yn gwaethygu. Ond dal i'w herio wnaeth Charlie. Erbyn hyn, roedd Dan yn poeni'n ofnadwy.

"Paid â 'neud hynna!" gwaeddodd. Ond doedd dim yn tycio. Dyna lle'r oedd Charlie yn pwyso'r ffon yn erbyn y wal ac yn ei phlygu. Ceisiodd Dan afael ynddi, ond cydiodd Harri yn Dan a'i atal. Sathrodd Charlie'n galed ar y ffon gyda'i esgid drom amryw o weithiau ac o dipyn i beth, clywodd Dan hi'n cracio.

"Hen dro," meddai Charlie, "a dydi *un* yn dda i ddim ar ei phen ei hun, nac ydi?"

Gan fod Harri yno, fedrai Dan wneud dim byd.

Fedrai hyd yn oed y ffyn drymio gorau ddim gwrthsefyll triniaeth gan Charlie. Wedi torri'r ddwy, aeth Charlie a'i gysgod yn eu blaenau dow-dow ar hyd y coridor fel petai eu cydwybod yn berffaith dawel.

Pan gyrhaeddodd Dan y dosbarth, roedd hi'n amlwg i'w ffrindiau fod rhywbeth yn bod.

"Be ddigwyddodd i ti?" holodd Cochyn. "Roeddwn i'n meddwl dy fod di'n dynn ar ein sodlau ni, ond ti wedi bod hydoedd."

Yn lle ateb, tynnodd Dan ddarn o ffon ddrymio o'i boced a'i roi ar y bwrdd. Lledodd llygaid Cochyn yn fawr fel soseri. Doedd o ddim yn gallu credu'r peth. "Nid darn o dy ffyn drymio newydd ydi hwnna?"

Cydiodd Erin yn y darn pren pigog. "Be ddigwyddodd?" gofynnodd.

Tynnodd Dan y darnau eraill o'i boced, bron yn ei ddagrau.

"Fy ffyn gorau i. Derw Siapaneaidd. Maen nhw i fod i bara am hydoedd. Mam brynodd nhw i mi yn anrheg Dolig, ond fedr hi ddim fforddio prynu petha newydd i mi o hyd." Cydiodd mewn dau hanner ffon ac edrych arnyn nhw mewn anobaith. "Charlie a Harri gafodd afael arna i yn y coridor ar fy ffordd yma. Doedd gen i ddim gobaith yn erbyn y ddau."

"Iawn! Dyna ddigon!" meddai Erin yn bendant. "Mae'n rhaid i ti ddweud wrth un o'r athrawon. Fedri di ddim dal ati fel hyn. Mae Charlie wedi bod yn dy fwlio di a rŵan mae o a Harri yn difetha dy gêr di hefyd. Thâl hyn ddim."

"Mae Erin yn iawn," cytunodd Cochyn. "Waeth pa mor eiddigeddus ydi Charlie, ddylai o ddim gwneud peth fel hyn. Dos i'r stafell athrawon i weld rhywun – y munud yma. Fe ddo' i efo ti os wyt ti eisio."

"A dweud be?" gofynnodd Dan yn chwerw. "Os gwelwch chi'n dda, syr, mae dau hen hogyn annifyr wedi torri fy ffyn drymio i?"

"Pam lai?" rhesymodd Erin. "*Maen* nhw'n annifyr ac maen nhw *wedi* torri dy ffyn drymio di."

Gwenodd Dan yn gynnil arni. "Dydi Charlie ddim yn mynd i roi'r gorau iddi ar ôl cael pryd o dafod," meddai.

"Dan sy'n iawn," meddai Ed, oedd wedi bod yn dawel tan rŵan. "Dydi Charlie byth yn gwybod pryd i roi'r gorau iddi – wrth gadw reiat yn y dosbarth nac wrth foddi pawb efo sŵn ei ddrymiau. Ac mae rhai o'r plant eraill yn meddwl ei fod o'n wych am fod ei dad mewn band llwyddiannus ac yn medru cael pob math o geriach hysbysebu iddyn nhw'n rhad ac am ddim. Ella mai gwaethygu, nid gwella, fyddai petha petai Dan yn cwyno yn ei gylch wrth yr athrawon."

"Dy 'neud di'n destun sbort am fod Rhian wedi gofyn i ti chwarae efo hi mae o. Mae o'n wenwynllyd am na wnaeth hi ofyn iddo fo!" meddai Erin. "Dydi'r boi ddim yn gall!"

"Cael cynnig sy'n bwysig, ynte?" meddai Ed wrthi. "A'r ffaith fod Huwcyn wedi canmol Dan. *Dyna* sy'n gwneud Charlie yn wenwynllyd, siŵr iawn. *A* Llywela yn ei wrthod hefyd."

"Paid â gweld bai arna i," meddai Llywela, gan blygu ymlaen a phrocio'r darnau pren â'i bys. "Arnat ti mae'r bai, Dan. 'Taset ti ddim yn gystal drymiwr, faswn i ddim wedi gwrthod Charlie." Pwy ond Llywela fedrai rwbio halen yn y briw drwy ganmol!

"Be wyt ti'n mynd i 'neud ynghylch dy ffyn drymio?" gofynnodd Cochyn.

"Mae'r hen rai gen i o hyd, er eu bod nhw wedi gwisgo braidd, ond dylen nhw fod yn iawn am dipyn bach eto," meddai Dan. "Mae'n debyg bydd yn rhaid imi gael rhai newydd gan fy athro drymio a gofyn iddo anfon y bil at Mam," ychwanegodd yn ddigalon.

"Ddylai Charlie ddim cael llonydd i boeni pobl fel hyn," cwynodd Erin. "Ond os nad wyt ti'n mynd i gwyno yn ei gylch, dylen ni gadw llygad barcud arnat ti beth bynnag, rhag iddo fo gael cyfle i 'neud rhywbeth arall dan din."

"Syniad da," cytunodd Cochyn. "Wn i be wnawn ni, Dan – dy warchod di! Arhoswn ni efo ti drwy'r amser, fel cysgodion! Chaiff Charlie ddim cyfle i fwlio wedyn."

5. Amddiffyn Dan

Am weddill y diwrnod, dilynodd Cochyn, Ed a Ben
Dan i ble bynnag yr âi. Roedd hi'n iawn cael
gwarchodlu personol yn ystod y gwersi – wedi'r
cyfan, roedden nhw i gyd wedi arfer symud efo'i
gilydd o'r naill ystafell ddosbarth i'r llall. Ond pan
ddechreuon nhw ei ddilyn i mewn ac allan o'r
toiledau, ac yn ôl i'w ystafell i nôl ei ffyn drymio sbâr,
dechreuodd Dan deimlo eu bod nhw ar ei gefn
braidd.

Roedd o wedi rhoi ei enw ar yr amserlen i fynd i'r
ystafell ymarfer ar ôl te, a phan wasgodd pawb i
mewn efo'i gilydd, gwyddai Dan y byddai'n rhaid
iddo ddweud rhywbeth.

"Peidiwch â 'nghamddeall i, dwi *yn* gwerthfawrogi
eich help chi," dechreuodd yn drwsgl, "ond dwi'm yn
meddwl y medra i ganolbwyntio ar ddrymio efo chi i
gyd yma."

"Deall yn iawn," meddai Ed. "Felly dw inna wrth ymarfer gitâr. Mae'n gas gen i pan fydd rhywun yn gwrando arna i'n ymarfer rhywbeth newydd."

"Ella byddai'n well inni aros tu allan felly," awgrymodd Cochyn. "Dim ond rhag ofn."

"Mae Charlie yn edrych ar y teledu yn y lolfa yr adeg yma fel arfer," atgoffodd Ed nhw.

"Ydi," cytunodd Dan. "Peidiwch â phoeni, fydda i'n iawn. Dwi ddim yn meddwl fod neb arall wedi rhoi eu henwau i ddefnyddio'r stafell yma heno, felly ella bydda i yma am hydoedd beth bynnag."

"Ddown ni draw yn hwyrach felly, dim ond i 'neud yn siŵr dy fod di'n iawn," cynigiodd Cochyn.

"Iawn. Diolch."

Treuliodd Dan ychydig funudau yn ffidlan i osod ei gêr drymio yn eu lle ac yna dechreuodd ymarfer y darn newydd roedd o wrthi'n ei ddysgu. Wedi chwarae hwnnw rhyw ddwywaith neu dair, aeth ati i ymarfer trawiadau ymyl.

Roedd yn rhaid cael y ffon ar yr union ongl iawn i daro croen ac ymyl y drwm snêr yn union ar yr un pryd, ac er bod Dan yn eitha da fyth am wneud hynny bellach, roedd o'n benderfynol na fyddai'n gwneud cam â'r dawnswyr yn ystod y perfformiad. Amseru a chywirdeb oedd y ddau beth pwysig er mwyn sicrhau fod y trawiadau ymyl yn swnio fel clecian gwn ar yr union eiliad iawn yn y ddawns.

Rywbryd yn ystod yr ymarfer, gwnaeth rhywbeth – wyddai o ddim beth – iddo godi'i ben. Gafodd o … gafodd o … gafodd o gip ar wyneb sbeitlyd Charlie yn sbecian arno drwy'r ffenest fechan gron yn y drws? Drws ystafell oedd wedi'i hynysu i gadw sŵn i mewn? Dan druan! Aeth ias i lawr ei asgwrn cefn. Ddylai ei ffrindiau fod wedi aros tybed? Mae'n rhaid fod Charlie yn mynd o dan ei groen go iawn iddo fod wedi *dychmygu* ei weld!

Teimlai'n hynod anesmwyth. Bu bron iddo roi'r gorau i ymarfer a mynd i chwilio am ei ffrindiau. Ond doedd Dan ddim wedi arfer ildio i'w ofnau, a doedd o ddim am ddechrau rŵan. *Paid â bod yn gymaint o hen wlanen,* meddai wrtho'i hun. *Roeddet ti wedi bwriadu chwarae i gyfeiliant y cryno-ddisg 'na. Paid â gadael i Charlie Owen ddifetha dy sbort di.*

Roedd o wedi bod yn ymarfer yn galed ac felly

roedd o'n haeddu ymlacio mymryn. Gwthiodd ei bryderon i gefn ei feddwl a thynnodd gryno-ddisg gan un o'i hoff fandiau o'i boced. Rhoddodd o i mewn yn chwaraewr disgiau'r ystafell ymarfer a chodi'r sain mor uchel fyth ag y gallai.

Arhosodd – gyda'i ffyn yn barod ar groen un o'r drymiau – wrth i gordiau terfynol y gân gynta ddistewi. Yna daeth ei gân orau un. Am ychydig funudau, Dan James *oedd* drymiwr anhygoel y band. Roedd o yno, ar y llwyfan, gyda bandana blêr am ei dalcen a thatŵs rhyfeddol ar ei gorff!

Cyflymder eithriadol, lloerig. Baglodd Dan dros ambell ran, aeth ar goll amryw o weithiau, ond erbyn diwedd y gân roedd o'n dechrau gwella. Roedd techneg y drymiwr bron o fewn ei gyrraedd. Petai o *ond* yn gallu cyflymu ychydig. Ailchwaraeodd y gân. Gwelliant. Yna dilynodd y cyflwyniad i'r gân nesa.

Wrth ymgolli'n llwyr yn y drymio, anghofiodd Dan bopeth am Charlie Owen a'i lol. Anghofiodd bopeth am amser hefyd a chwaraeodd bob un o ganeuon y cryno-ddisg. Pan orffennodd o'r diwedd, llifai'r chwys oddi ar ei dalcen ac roedd o wedi ymlâdd, ond teimlai'n fodlon iawn. Byddai'n hydoedd cyn y gallai o chwarae gystal â'i hoff ddrymiwr, ond bob hyn a hyn roedd o wedi teimlo sut beth oedd medru gwneud pethau'n iawn, a gwybod ei fod yn berffaith.

Ymlaciodd ar y stôl, gan sythu'i ysgwyddau i lacio'r gewynnau. Wrth ddrymio roedd o wedi anghofio'r boen yn ei ysgwydd, ond erbyn hyn roedd hi wedi dechrau brifo eto. Bàth fyddai'n braf, er mwyn llacio'r gewynnau …

Edrychodd ar ei ddwylo. Roedd swigen yn dechrau codi ar un llaw a chrafiadau bychain ar ei fys bach lle'r oedd o wedi'i sgriffio ar symbal. Petai o wedi gwybod ei fod am chwarae'r holl ganeuon ar y cryno-ddisg, byddai wedi dod â'i fenig drymio efo fo. Ond dim ots. Roedd o wedi cael sesiwn drymio gwych.

Mae'n rhaid ei bod hi'n hwyr. Cafodd gip ar y cloc ar y wal a sylweddoli ei bod yn amser gwely. Doedd dim amser i gael bàth felly. Byddai'n rhaid iddo'i heglu hi'n ôl i dŷ'r bechgyn rhag cael pryd o dafod.

Llithrodd y cryno-ddisg yn ôl i'w boced a

gwthiodd ei ffyn yn ddwfn i'w fag. Doedd Charlie ddim yn fygythiad erbyn hyn – byddai yn ei ystafell wely – ond doedd Dan ddim am fentro colli'i eiddo drachefn. Er bod y ffyn yma wedi gwisgo tipyn go lew, dyma'r unig bâr oedd ganddo. O hyn allan, byddai mynd â'i ffyn drymio gwerthfawr efo fo i bobman ac yn eu cuddio'n ddiogel.

Cododd Dan ei fag a'i roi dros ei ysgwydd. Aeth at y drws a throi'r dwrn, ond arhosodd y drws ar gau. Synnodd. Roedd drysau'r ystafelloedd ymarfer yn cau ohonyn nhw'u hunain, ond doedd y sbrings ddim mor gryf â hynny. Cydiodd yn y dwrn wedyn a'i droi'n gadarn. Symudodd y drws rhyw fymryn, ond agorodd o ddim. Roedd rhywbeth yn ei ddal yn dynn. Tynnodd Dan ynddo, ond wnâi o ddim agor.

"Mae hyn yn wirion bost!" meddai o dan ei wynt. "Be sy'n bod ar yr hen beth hurt?" Rhoddodd gynnig arall arni, ac un arall, ond methodd agor y drws. Edrychodd allan i'r coridor drwy'r ffenest fach gron, ond doedd dim golwg o neb. Yna daeth bachgen hŷn o lawer allan o ystafell ymarfer arall dafliad carreg i lawr y coridor.

"Hei!" gwaeddodd Dan arno. "Help! Dwi 'di cael fy nghau i mewn!" Dyrnodd y drws â'i ddwrn, ond chlywai'r bachgen yr un smic yn dod o'r ystafell am ei bod wedi'i hynysu i gadw sŵn i mewn, a'r cyfan welodd Dan oedd ei gefn yn diflannu i lawr y coridor.

Griddfanodd. Ble'r oedd ei ffrindiau? Roedden nhw i fod i ddod yn ôl yma. Pam nad oedden nhw wedi dod? Beth aeth o'i le? Chaen nhw fyth adael y tŷ yr adeg yma o'r nos.

Gallwn i chwarae eto nes bod rhywun yn mynd heibio, meddyliodd. Ond am y tro cynta yn ei fywyd, doedd ar Dan ddim awydd chwarae'r drymiau. Roedd o wedi'i ddal mewn trap – hen deimlad annifyr iawn. Efallai na fyddai neb, am ryw reswm, yn ei golli. Beth petai'n gorfod aros yno dros nos? Faint o aer oedd yno? Fyddai 'na ddigon i bara drwy'r nos ac yntau wedi defnyddio cymaint wrth ddrymio?

Cydiodd yn y stôl ddrymio a mynd â hi at y drws. Eisteddodd arni a syllu drwy'r ffenest rhag ofn i rywun ddigwydd mynd heibio. Bu'n gwylio am hydoedd, ond ddaeth neb ar ei gyfyl. Yn fuan iawn byddai'n bryd i'r disgyblion hynaf fynd i'r gwely!

Doedd dim posib mynd allan. Dim gobaith cael help. Dim pwrpas edrych ar yr ochr dduaf. Ond roedd hi'n amhosib peidio. Beth wnâi o, er enghraifft, petai'r lle yn mynd ar dân?

6. Pwy Fasa'n Meddwl!

Dan druan. Roedd o bron wedi anobeithio cael ei ryddhau o'r ystafell ymarfer pan welodd rywun yn dod ar hyd y coridor. Chwifiodd ei ddwylo'n wyllt, ond roedd pwy bynnag oedd yno yn rhy bell i'w weld o drwy'r ffenest fechan. Arhosodd ar bigau'r drain.

"O! Gobeithio y daw o i ben yma'r coridor," crefodd yn ddistaw.

Dei Ffowcs, pennaeth Adran Cynnal a Chadw Plas Dolwen oedd o. Tybed oedd rhywun wedi'i anfon i achub Dan? Mr Ffowcs oedd yn gofalu am y criw oedd yn torri'r lawntiau eang o amgylch y plas, yn ogystal â delio ag unrhyw argyfwng fel draeniau wedi blocio. Yn awr, cerddai'n bwrpasol tuag at yr ystafell lle'r oedd Dan. Chwifiodd Dan ei freichiau'n wyllt a churodd ar y drws, ac o'r diwedd, llwyddodd i dynnu sylw Mr Ffowcs. Roedd hwnnw'n amlwg wedi'i syfrdanu pan welodd fod rhywun yno. Brysiodd at y drws a phlygu i edrych ar y dwrn.

Fedrai Dan ddim gweld beth roedd Mr Ffowcs yn ei wneud. Roedd beth bynnag oedd yn dal y drws yn sownd yn cymryd hydoedd i'w agor. Ond o'r diwedd, cododd Mr Ffowcs ar ei draed drachefn. Mewn eiliad, agorwyd y drws ac roedd Dan yn rhydd.

"Diolch i chi!" meddai Dan o waelod ei galon. "Diolch yn fawr. Roedd y drws wedi glynu a doeddwn i ddim yn ... "

Ond roedd golwg stowt ofnadwy ar Dai Ffowcs. "Pwy wnaeth hyn?" gofynnodd yn ddig, a dangos darn hir o gebl trydan. "Be sy wedi bod yn mynd 'mlaen yn fan'ma?"

"Wn i ddim," atebodd Dan yn onest.

"Wel, fe lwyddodd rhyw ffŵl i dy gau di i mewn go iawn yn fan'na. Roedd y cebl yma wedi'i droi rownd a rownd dwrn y drws a'i glymu rownd y bachyn ar y wal. Nid clymau chwaith a dweud y gwir. Andros o lanast ar y cebl. Fel rhywun yn trio gweu! Rhai o dy ffrindiau di'n chwarae'n wirion, ie?"

Cododd Dan ei ysgwyddau, gan geisio ymddangos yn ddifater, ond roedd ei du mewn yn berwi. Dyna'r union fath o dric budr fyddai Charlie'n ei wneud. Nid *dychmygu* gweld y drymiwr arall drwy'r ffenest wnaeth o wedi'r cyfan. *Roedd* Charlie wedi bod yn sbecian arno.

"Fe dynna' i'r bachyn o'i le," ychwanegodd Mr Ffowcs, "rhag i hyn ddigwydd eto." Edrychodd ar Dan ac ysgwyd ei ben. "Wn i ddim wir!" meddai. "Plant yr oes yma! Wn i ddim be ddaw ohonyn nhw!" Rhoddodd y cryno-ddisg oedd ganddo yn ei law ar y llawr a thynnodd sgriwdreifar o'i boced. "Damia! Maen nhw wedi peintio dros y sgriws yma i gyd."

Roedd bag Dan yn yr ystafell o hyd, a doedd o ddim eisiau ei adael yno, ond fedrai o ddim mynd heibio Dai Ffowcs ac yntau'n straffaglio wrth y drws.

"Dyna welliant!" Cododd Mr Ffowcs ar ei draed a rhoi'r sgriwdreifar a'r bachyn yn ei boced tra oedd Dan yn manteisio ar y cyfle i estyn ei fag. "Cer 'laen. Gwadna hi o 'ma!" meddai'r dyn. "Mae'n hen bryd i ti fod yn dy wely."

Yna, er mawr syndod i Dan, diflannodd Mr

Ffowcs i mewn i'r ystafell ymarfer a chau'r drws yn glep y tu ôl iddo.

Roeddwn i'n meddwl ei fod o wedi cael ei anfon i fy achub i, ond mae'n amlwg nad oedd o, meddai Dan wrtho'i hun wrth frysio oddi yno. *Roedd Mr Ffowcs yn dod i'r ystafell ymarfer beth bynnag. Roedd ganddo gryno-ddisg Elvis Presley hefyd. Dyna ryfedd.* Ond doedd gan Dan ddim amser i'w wastraffu yn meddwl am y dyn cynnal a chadw. Roedd yn rhaid iddo frysio i'w ystafell cyn gynted ag y medrai, gan obeithio na fyddai Mr Smith, yr athro a ofalai am dŷ'r bechgyn, yn sylwi arno'n sleifio i mewn.

Diolch i'r drefn! Roedd hi'n amser gwely i'r bechgyn hynaf, a Mr Smith yn brysur yn morol eu bod nhw'n paratoi i noswylio cyn dod yn ôl i ofalu bod y rhai ieuengaf wedi diffodd y goleuadau. Rhuthrodd Dan ar hyd y coridor i'r ystafell molchi. Doedd ganddo ddim amser i molchi, ond glanhaodd ei ddannedd yn gyflym. Yn eu hystafell, arhosai Cochyn, Ed a Ben amdano.

"Diolch byth!" meddai Cochyn, a chodi ar ei

eistedd yn ei wely. "Wyt ti'n iawn?"

"Mae'n rhaid fod Charlie wedi clymu'r drws a fedrwn i ddim dod allan," meddai Dan wrth sgrialu i'w byjamas a neidio i'w wely. "Be ddigwyddodd i chi i gyd? Roeddwn i'n meddwl eich bod chi am ddod yn ôl i edrych o'n i'n iawn?"

"Daethon ni draw yma i chwarae pŵl ac anghofio faint o'r gloch oedd hi," cyfaddefodd Cochyn yn euog. "Roedden ni'n mynd i ddod i dy nôl di pan gofion ni dy fod yn dal i ymarfer, ond gwelodd Mr Smith ni a dweud ei bod hi'n rhy hwyr i fynd yn ôl i'r ysgol."

"Ceisiodd Cochyn sleifio allan, ond gwelodd Mr Smith o a'i anfon i'w wely," eglurodd Ed. "Ac mae Charlie wedi bod yma ers hydoedd, felly feddylion ni dy fod di wedi anghofio faint o'r gloch oedd hi. Roedden ni ar fin dweud wrth Mr Smith ein bod ni'n poeni yn dy gylch di."

"Mae'n debyg fod Charlie'n swatio'n braf yn ei wely," meddai Dan yn ddig. "Wel, dwi'n meddwl yr af i i gael gair efo fo."

Cyn i neb allu ei rwystro, cododd Dan o'i wely ac

aeth i lawr y coridor i'r ystafell a rannai Charlie gydag un neu ddau o fechgyn eraill.

"Dwi 'di cael llond bol arnat ti, Charlie Owen!" meddai gan sefyll yn y drws. "Rho'r gorau iddi 'nei di?"

"Be ti'n feddwl?" gofynnodd Charlie, gan ymdrechu i swnio'n ddiniwed. "Be dwi 'di 'neud?"

"Ti'n gwybod yn iawn," atebodd Dan. "Clymaist ti ddrws yr ystafell ymarfer rhag i mi fedru dod allan."

"Naddo wir," protestiodd Charlie gan wenu'n gam ar Dan. "Faswn i byth yn meiddio gwneud y fath beth i'n seren ddrymio enwog."

"Do, fe wnest ti!" chwyrnodd Dan yn ddig.

"Profa hynny!" chwarddodd Charlie. "Dwi 'di bod yn fan'ma ers hydoedd. Gofyn i'r lleill."

Crechwenodd Harri ar Dan o'i wely yr ochr draw i'r ystafell. "Mae o'n dweud y gwir," meddai hwnnw. "Dan ni wedi bod yn gwylio'r teledu drwy gyda'r nos."

Roedd Dan o'i go'n lân, ond gwyddai na fedrai brofi mai Charlie oedd wedi clymu'r drws, a heb brawf, fedrai o wneud dim byd.

"Bydda i'n talu'n ôl am hyn!" meddai'n fygythiol.

"Na fyddi di," atebodd Charlie wrth osod ei ben yn gyfforddus ar y gobennydd, yn barod i gysgu. "Ti'n ormod o fabi."

Cododd Dan slipar oddi ar y llawr, ac roedd ar fin ei hyrddio at Charlie pan glywodd lais y tu cefn iddo.

"Diffodd y golau, Dan. Rho'r gorau i gadw reiat a dos yn ôl i dy stafell dy hun." Mr Smith oedd yno.

Roedd yr hen wên sbeitlyd 'na ar wyneb Charlie yn cynddeiriogi Dan, ond fedrai o wneud dim byd a Mr Smith yn sefyll yno. Trodd Dan a llusgo'n ôl i'w ystafell yn anfoddog. Roedd o'n hoffi Mr Smith, a phetai'n medru profi mai Charlie glymodd ddrws yr ystafell ymarfer, mae'n debyg y byddai wedi cwyno yn ei gylch wrth yr athro. Ond heb brawf, doedd dim pwrpas sôn am y peth o gwbl, yn union fel helynt y ffyn drymio. Y cyfan wnâi Charlie fyddai gwadu popeth. Roedd y peth mor annheg.

Unwaith roedd Mr Smith wedi diffodd y golau a gadael y bechgyn, ceisiodd Cochyn godi calon ei ffrind.

"Chest ti ddim ffrae am fod yn hwyr, felly

weithiodd tric Charlie ddim," meddai. "Paid â gadael iddo fo dy wylltio di. Dydi o ddim werth y drafferth. Sut doist ti allan o'r ystafell ymarfer beth bynnag?"

"Gwelodd Dai Ffowcs fi a 'ngollwng i'n rhydd."

"Roedd hi'n hwyr iawn arno fo'n dal i weithio. Be oedd o'n 'neud yno?"

"Dwi'm yn meddwl mai gweithio oedd o," meddai Dan, gan gofio'r cryno-ddisg. "Dwi'n meddwl ei fod o wedi dod i ddefnyddio'r ystafell ymarfer. Roedd ganddo fo gryno-ddisg Elvis Presley."

"Ella ei fod o'n un o'r bobl 'na sy'n dynwared Elvis!" meddai Ed. "Pwy fasa'n meddwl!"

"Wel, beth bynnag oedd o'n 'neud, roeddwn i'n lwcus iawn ei fod o wedi dod draw pan ddaeth o," meddai Dan, gan droi yn ei wely. "Ac mae Dai Ffowcs wedi tynnu'r bachyn felly fydd Charlie ddim yn medru gwneud hynna eto."

"Dyna ni," meddai Cochyn. "Ella bydd Charlie yn rhoi'r gorau i dy fwlio di rŵan … Does 'na fawr ddim byd arall fedr o 'neud."

"Nac oes, gobeithio," meddai Dan o waelod ei galon.

7. Trychineb!

Er gwaetha'r helyntion efo Charlie, bu Dan yn ymarfer y darn ar gyfer y dawnswyr yn galed, ac erbyn diwedd yr wythnos honno, dywedodd Mr Penardos, yr athro dawns, ei bod yn bryd i Dan a Rhian Morris ymarfer gyda'i gilydd. Daeth bron pawb o'r ysgol isaf oedd ddim yn y perfformiad draw i wylio. Roedd hyd yn oed Owain Tudur, y peirannydd sain fyddai byth bron yn gadael ei stiwdio yno. Roedd Dan wrth ei fodd pan sylwodd arno'n eistedd yn y tu blaen yn ei sbectol drwchus a'i gôt weu lwyd arferol. Edmygai Dan Owain Tudur yn fawr, ac roedd o'n falch o'r cyfle i geisio gwneud argraff dda arno.

Aeth Cochyn a'r dawnswyr eraill i'w lle ar y llwyfan tra oedd Dan yn eistedd ar ei stôl y tu ôl i'w ddrymiau. Roedd o wedi gosod ei gêr i gyd beth amser ynghynt y diwrnod hwnnw, felly gwyddai fod popeth yn ei le fel roedd o ei eisiau. Tynnodd ei fysedd yn ysgafn ar hyd y drymiau a'r symbalau i wneud yn berffaith siŵr eu bod nhw'n ddigon agos ato, ond heb fod yn rhy agos wrth gwrs. Yna cododd ei ffyn.

Eisteddai Rhian wrth y piano ac ar ôl iddi nodio arno, dechreuodd Dan daro rhythm Affricanaidd hiraethus. Deffrodd y dawnswyr yn araf i'r curiad taer. Adleisiodd Rhian guriadau Dan ar y piano, a chyflwynodd yr awgrym cynta o'r diwn.

Canolbwyntiai Dan yn wirioneddol galed. Doedd hyn yn ddim byd tebyg i'w ddyrnu gwyllt ond manwl gywir arferol ar y drymiau. Doedd o'n ddim byd tebyg i fiwsig roc. Yn y darn yma roedd yn rhaid iddo fod dan reolaeth lem ac yn gyson wastad. Ymhen ychydig guriadau byddai'n taro'r tom-toms bach oedd wedi'u cyplysu ar ei ddrwm bas, ac yna byddai'n dechrau chwarae'r symbalau.

Cyn gynted ag y trawodd y tom, gwyddai fod rhywbeth o'i le. Siglodd yr offeryn draw oddi wrtho, gan droelli ar ei stand. Ni phetrusodd Dan wrth chwarae o gwbl, a rhywfodd llwyddodd i'w dynnu'n ôl tuag ato. Ond yna gwnaeth y tom arall yr un peth a gwyddai'r drymiwr ei fod mewn picil.

Be sy'n digwydd? meddyliodd, wedi cynhyrfu'n lân. *Ddylwn i stopio?*

Ond doedd o ddim eisio stopio. Roedd Cochyn a'r lleill yn dawnsio mor ardderchog. Petai'n gwneud iddyn nhw stopio tra oedd o'n cael trefn ar ei gêr, byddai'n difetha popeth.

Byddai Dan yn gosod ei gêr drymio yn eu lle yn ofalus iawn bob amser. Cyn unrhyw berfformiad, gofalai fod y drymiau a'r symbalau wedi eu tynhau'n gadarn ar y standiau. Edrychai arnyn nhw am yr eildro hefyd, dim ond i sicrhau eu bod nhw'n berffaith iawn. Gwyddai fod popeth yn ei le pan edrychodd arnyn nhw ynghynt. Ond fel roedd o'n taro'r symbal bach ysgafn, teimlodd hwnnw hefyd yn llithro i lawr y stand. Gallai weld coesau'r stand yn lledu a'r symbal yn suddo i lawr nes ei fod o'n union ar ben y tom llawr.

Roedd rhywun wedi bod yn ymyrryd â'i gêr drymio! Dyna'r unig eglurhad. Am funud, roedd Dan yn poeni mai ei hen stand symbalau oedd ar fai. Ond roedd *popeth* wedi llacio, nid dim ond un peth, a doedd dim byd allai o wneud.

Ymdrechodd i geisio chwarae'n dynerach, ond roedd y miwsig i fod i chwyddo, nid distewi. Petai popeth yn aros yn ei le nes bod y ddawns ar ben … Deg bar arall a byddai'n bryd iddo chwarae'r trawiadau ymyl hollbwysig.

Ty'd 'laen, Dan, meddai wrtho'i hun. *Galli di 'neud hyn!*

Doedd bosib y byddai ei annwyl gêr drymio yn ei siomi? Ond fedrai hyd yn oed Dan ddim chwarae'n dda erbyn hyn. Roedd pedal y drwm bas yn rhydd, y symbalau'n suddo'n is ac yn is, a'r drymiau'n swnio'n ofnadwy oherwydd fod y crwyn wedi cael eu llacio gymaint. Gwasgodd Dan ei wefusau a cheisio dal ati, ond pan drawodd y curiad nesa, chwalodd popeth. Cwympodd y cyfan i'r llawr!

Sôn am sŵn! Tincian-toncian! Clincian-cloncian-clepian-clencian! Y symbalau'n clecian oddi ar eu standiau gan syrthio'n strim-stram-strellach a rowlio dan draed y dawnswyr, y clindarddach fel pentwr o sosbenni'n syrthio. Baglodd Cochyn dros un ohonyn nhw a bu bron iddo lithro ar wastad ei gefn. Yna, ar ôl gwegian yn feddw o'r naill ochr i'r llall, syrthiodd y tom llawr gyda chlec enfawr! Gyrrodd hwnnw'r symbal bach ysgafn i droelli ar draws y llawr a diflannu dros ochr y llwyfan. Clep! Glaniodd wrth draed Mr Penardos. Syrthiodd hyd yn oed y drwm snêr bychan oddi ar ei stand gan hisian rhuglo. Gadawyd Dan ar ei stôl ynghanol llanast o standiau arian ac adfeilion ei ddrymiau.

Roedd y cyfan yn debycach i domen o weiars dal dillad a bocsys hetiau na'i gêr drymio gwerthfawr. Roedd golwg wedi arswydo ar ffrindiau Dan, ond ffrwydrodd Charlie a Harri a'u ffrindiau i chwerthin yn afreolus. Tawodd pawb yr eiliad y neidiodd Mr Penardos ar y llwyfan, a'r symbal bach yn ei law. Roedd o'n gandryll ac o'i go'n lân. "Wyt ti'n meddwl fod hyn yn jôc, washi bach?"

Ysgydwodd Dan ei ben gan wrido'n fflamgoch, yn llawn cywilydd a dicter fod rhywun wedi gwneud cymaint o hwyl am ei ben.

"Cliria'r llanast 'ma. Gwnawn ni'r tro hebot ti

heddiw. Na, Cochyn. Aros di efo gweddill y dawnswyr er mwyn inni gael ailgychwyn." Rhoddodd y symbal i Dan. Plethodd ei freichiau a sefyll yno'n ddiamynedd.

Bu tawelwch annifyr tra oedd Ed a Ben yn helpu Dan i hel popeth at ei gilydd i'w symud o'r ffordd. Gwenodd Rhian ar Dan yn llawn cydymdeimlad, ond fedrai dim byd gysuro'r cywilydd mawr roedd o'n ei deimlo.

Pan ddaeth yr ymarfer i ben, a'r dawnswyr wedi gadael y llwyfan, casglodd Dan a'i ffrindiau y drymiau, y symbalau a'r standiau, a'u cario'n ôl i'r ystafell ymarfer.

"Mae hyd yn oed crwyn y drymiau wedi cael eu llacio!" tantrodd Dan. "Roedden nhw'n berffaith iawn yn union cyn amser chwarae. Gwnes i'n berffaith siŵr o hynny. Bydda i am hydoedd yn rhoi popeth yn ôl at ei gilydd yn iawn."

"Mae'n rhaid mai Charlie wnaeth," meddai Ed.

"Ond fedra i ddim profi hynny," chwyrnodd Dan. "Unwaith eto!"

"Gan bwyll!" meddai Cochyn wrtho. "Edrychwn ni

ar ôl dy gêr di hefyd o hyn allan."

Ond roedd Dan o'i go'n lân. "Dyna ddigon," ysgyrnygodd. "Dim rhagor. Dwi 'di cael llond bol. Tala' i'n ôl iddo am hyn! O, gwna'!"

"Paid â gadael iddo fo weld ei fod wedi llwyddo i dy gynhyrfu di!" rhybuddiodd Cochyn. "Fe wnaiff o rywbeth gwaeth wedyn. Chafodd 'na ddim byd ei falu beth bynnag."

Roedd Charlie'n loetran wrth y lle rhannu bwyd yn y neuadd, yn eu gwylio'n ffurfio rhes.

"Gest ti lwyddiant mawr efo'r dawnswyr," meddai'n sbeit i gyd. "Clywodd pawb y twrw beth bynnag!"

Am funud, smaliodd Dan nad oedd wedi clywed. Edrychodd yn ddifater ar Charlie heb ateb. Yna, fel petai o ddim ond newydd sylwi ar y ddiod yn ei law, cododd Dan y gwydryn gyferbyn â'i lygaid. Doedd o erioed wedi talu'n ôl o'r blaen, a doedd bosib fod gan Charlie unrhyw syniad beth oedd ei fwriad yn awr. Ond yn araf, gan edrych fel petai'n mwynhau pob eiliad, cododd y gwydryn yn uwch a thywalltodd y cynnwys dros ben Charlie.

Am eiliad, safodd Charlie yno'n syfrdan a'r sudd oren gludiog yn diferu o'i wallt. Llifai'r sudd ar hyd coler ei grys, yn ogystal ag i lawr ei drwyn ac ar y llawr.

"Hei!" bloeddiodd un o staff y gegin. "Sychwch hwnna oddi ar y llawr!" Ond roedd Dan wedi cipio'i hambwrdd ac yn eistedd yn dawel wrth fwrdd gerllaw, heb gymryd unrhyw sylw o'r halibalŵ wrth y lle rhannu bwyd.

Ysgydwodd Charlie ei ben a sgrechiodd amryw o enethod wrth i'r diferion gludiog sboncio i bob cyfeiriad. Gwthiodd rhywun o'r gegin gadach a mop i'w law. Yn gyndyn iawn, cliriodd Charlie y rhan fwyaf o'r llanast a sychodd ei wyneb amryw o weithiau. Ond fedrai o ddim bwyta'i ginio a'r fath olwg arno. Byddai'n rhaid iddo fynd i olchi'i wallt a newid ei ddillad. Doedd 'run o'i ffrindiau yn barod i wneud heb ginio i fynd efo fo. Felly aeth Charlie allan o'r ystafell fwyta ar ei ben ei hun.

"Eitha gwaith," meddai Dan yn fodlon o dan ei wynt wrth ei wylio'n mynd.

8. Gwers

Ar ôl cinio roedd gwers Gymraeg, ond cyn dechrau'r wers, roedd gan yr athrawes rywbeth i'w ddweud.

"Dwi newydd gael neges i Dan a Charlie," meddai hi. "Mae Huwcyn ap Siôn Ifan eisio'ch gweld chi'ch dau yn syth ar derfyn gwersi'r pnawn, o'r gorau? Rŵan, ymlaen â'r wers. Heddiw dan ni'n mynd i edrych ar y geiriau y buoch chi'n eu cyfansoddi fel gwaith cartref, i gael gweld sut hwyl gawsoch chi."

Fedrai Dan ddim canolbwyntio. Be oedd Huwcyn eisio efo'r ddau ohonyn nhw? Oedd Charlie wedi cwyno am y sudd oren yn ei wallt? Os felly, byddai gan Dan ddigon i gwyno yn ei gylch am Charlie hefyd. Ond daliai i boeni am na fedrai brofi dim. Roedd amryw o bobl wedi ei weld yn tywallt y sudd dros ben Charlie, ond doedd gan Dan ddim prawf o gwbl o fistimanars Charlie.

Ciledrychodd ar Charlie, ond roedd wyneb ei elyn yn gwbl ddifynegiant. Am unwaith, roedd o'n dal ati i weithio'n ddistaw. Oedd hynny'n golygu ei fod yntau'n poeni ynghylch Huwcyn ap Siôn Ifan hefyd, neu oedd o'n hyderus fod Dan mewn helynt ac yntau ddim?

Bu Dan yn poeni drwy'r pnawn. Roedd o'n eithaf hoff o Gymraeg, yn arbennig pan oedd y wers yn gysylltedig â cherddoriaeth, fel heddiw, ond doedd hyd yn oed dysgu sut i gyfansoddi geiriau caneuon ddim yn ddigon i'w helpu i ganolbwyntio yn awr.

"Dwi'm yn *meddwl* 'mod i wedi gwneud dim byd o'i le," meddai wrth Ed ar y ffordd i'r wers Ffrangeg. "Heblaw am amser cinio, wrth gwrs."

"Ella nad ydi o'n ddim byd i'w 'neud efo chdi a Charlie yn tynnu'n groes," awgrymodd Cochyn.

Ond poenai Dan o hyd. "Fedra i ddim meddwl am ddim byd arall," meddai'n ddigalon.

O'r diwedd, roedd gwersi'r pnawn ar ben. Yn lle mynd i gael te efo'i ffrindiau, aeth Dan yn syth i'r Adran Roc ac i ystafell Huwcyn ap Siôn Ifan. Cyfarfu Charlie tu allan i'r drws ac aeth y ddau i mewn gyda'i gilydd. Doedd gan Dan ddim mymryn o awydd siarad efo Charlie, ac edrychai Charlie i bobman ond i gyfeiriad Dan.

Cerddodd y ddau drwy'r brif ystafell lle'r oedden nhw wedi mwynhau y sesiwn jamio ar ddechrau'r tymor. Roedd hi'n ddistaw yno yn awr, er bod digonedd o gitarau ar hyd y lle yn aros i'w perchenogion eu plygio i mewn i greu cerddoriaeth.

Roedd ystafell Huwcyn ym mhen draw rhyw bwt o goridor. Am eiliad, petrusodd y ddau, ac yna cymerodd Dan anadl ddofn cyn mynd at y drws a churo arno.

"Ie?"

Clywyd llais dwfn unigryw Huwcyn ap ac agorodd Dan y drws.

Roedd yr ystafell yn un llanast o waith papur, cryno-ddisgiau, ceblau a gitarau o bob lliw a llun ac oedran. Mewn powlen grochenwaith ar ei ddesg roedd casgliad o blectrymau, bonion pensiliau, tâp cryf oedd yn dal dŵr ac yn ddefnyddiol iawn ar gyfer cant a mil o bethau, ac amryw o blygiau yn perthyn i hen geblau. Eisteddai Huwcyn ap Siôn Ifan ar erchwyn ei ddesg, wrthi'n tiwnio gitâr, ond sodrodd hi o'r neilltu a chododd ar ei draed pan ddaeth y bechgyn i mewn.

"Wel?" gofynnodd, gan fynd draw y tu ôl i'w ddesg ac eistedd ar glustog glytwaith wedi colli'i lliw ar hen gadair bren. "Be dach chi eisio'i ddweud wrtha i?"

Petrusodd Dan. Doedd o ddim wedi disgwyl hyn. Beth *oedd* o eisiau'i ddweud wrth y dyn roedd o'n ei barchu'n fwy na neb arall yn y byd? Roedd digon y *gallai* o ei ddweud, ond doedd o ddim yn siŵr beth fyddai ymateb Huwcyn ap petai o'n dechrau achwyn am y pethau annifyr roedd Charlie wedi bod yn eu gwneud yn ddiweddar.

Roedd Charlie yn ddistaw hefyd, gyda'i ben i lawr, yn canolbwyntio ar rwbio blaen ei dreinyr yn y carped trwchus. Penderfynodd Dan beidio ymddwyn fel petai'n euog o fod wedi gwneud rhywbeth drwg. Edrychodd ar Huwcyn a phesychodd i glirio'i lwnc.

"Wel?" Edrychodd Huwcyn arno yntau, gan godi un o'i aeliau ynghanol ei gagla rasta brith.

"Mae gynnon ni chydig o broblemau," meddai Dan wrtho.

Swniai'n ddiniwed, ond roedd Huwcyn yn nodio'i ben yn ddifrifol. "Baswn i'n cytuno, yn ôl yr hyn dwi wedi'i glywed," meddai. "Tipyn o gythraul canu – dyna y baswn i'n ei alw fo. Peth hyll iawn."

Rhuthrodd Charlie i ymuno yn y sgwrs. "Mae o'n brolio ei fod o'n ddrymiwr gwych, yn dwyn aelodau fy mand i a byth yn rhoi cyfle i mi."

Agorodd Dan ei geg mewn syndod. Ond roedd Huwcyn fel petai'n cymryd Charlie o ddifri.

"A be ydi dy gŵyn di ynghylch Charlie, Dan?"

Cododd Dan ei ysgwyddau. Waeth beth fyddai o'n ddweud, byddai Charlie yn gwadu, a fedrai o ddim profi dim byd. "Mae'n ddrwg gen i os ydi Charlie yn meddwl 'mod i wedi bod yn brolio," meddai. "Doeddwn i ddim yn meddwl fy mod i. Ond dan ni'n tynnu'n groes braidd ar y funud. Basai'n dda gen i 'tasen ni ddim," ychwanegodd yn bendant. "Y cyfan dwi eisio ydi canolbwyntio ar y gerddoriaeth."

"Rwyt ti'n meddwl dy fod ti *mor* glyfar … "

dechreuodd Charlie.

"Taw!" Doedd Huwcyn ddim wedi codi'i lais o gwbl, ond pan glywodd Charlie yr awdurdod yn ei orchymyn, caeodd ei geg ar unwaith.

"Rho'r gora i gwyno a chanolbwyntia ar dy waith," meddai wrtho. "Wedyn fydd dim rhaid iti gwyno o gwbl ... " Trodd at Dan. " ... A does neb yn hoffi rhywun sy'n meddwl ei fod o'n gwybod pob peth, felly gwna'n siŵr nad wyt ti ddim yn un ohonyn nhw. Mae arnat ti angen ffrindiau yn y busnes yma. Dal dy afael ynddyn nhw – waeth faint o helynt maen nhw'n ei achosi." Yna petrusodd, a meddyliodd Dan ei fod yn gweld rhyw fflach o gydymdeimlad yn ei lygaid.

"Cawsoch chi'ch dau eich derbyn i'r ysgol yma am eich bod wedi ein darbwyllo ni eich bod o ddifri ynghylch cerddoriaeth," meddai. "Ond i bob golwg dach chi wedi anghofio hynny wrth i'r drwgdeimlad annifyr 'ma dyfu rhyngoch chi." Rhythodd yn galed ar Charlie, nes i Charlie ddweud rhywbeth o dan ei wynt a throi draw.

"Mae derbyn cwynion oherwydd bod fy myfyrwyr

i wedi siomi adrannau eraill yn codi 'ngwrychyn i,"
meddai Huwcyn ap Siôn Ifan.

Suddodd calon Dan. Mae'n rhaid bod Mr
Penardos wedi sôn am yr ymarfer trychinebus
wrtho. Gallai Dan gyhuddo Charlie o ymyrryd â'i gêr
drymio, ond teimlai ym mêr ei esgyrn nad oedd
Huwcyn eisiau clywed neb yn achwyn.

"Mae'n rhaid ichi ddysgu cyd-dynnu," meddai
Huwcyn, "waeth pa mor wahanol dach chi. Peidiwch
â gadael i hynny amharu ar eich cerddoriaeth."
Cododd ar ei draed, cerdded at flaen ei ddesg a
chlwydo ar y gornel. Cydiodd yn y gitâr roedd o
newydd fod yn ei thiwnio.

"Ac am nad ydach chi'n ddigon tebol i gael trefn
arnoch chi eich hunain ar gyfer y cyngerdd, dwi am
'neud hynny i chi."

Cododd pen Charlie. Roedd o ar fin dweud
rhywbeth, ond chafodd o ddim cyfle.

"Caiff y ddau ohonoch chi ddewis unawd,"
meddai wrthyn nhw. "Dan, chwaraea di 'Clec y Gwn'
– gyda'r gêr i gyd wedi eu gosod yn gywir," meddai'n
sychlyd. "Charlie, chwaraea di efo Llywela a Harri.

Dewisa unrhyw gân wyt ti eisio, ond mae'n rhaid i bawb gydweithio. Dim o dy lol yn dweud wrth bawb be i 'neud."

Daliodd Dan ei anadl. Byddai Llywela o'i cho'n lân. A beth am Ed a Ben? Ond doedd Huwcyn ddim wedi gorffen.

"Mae amryw o ddrymwyr enwog wedi chwarae deuawdau efo'i gilydd yn llwyddiannus iawn," meddai wrthyn nhw. Cododd amryw o bapurau cerddoriaeth oddi ar ei ddesg a'u cynnig i'r ddau. Teitl hwn ydi *'Sgwrsio'*. Ewch o 'ma i'w ddysgu o, ac i'w ymarfer. *Efo'ch gilydd."*

"Ond ... "

Edrychodd Huwcyn ap Siôn Ifan yn stowt iawn ar Charlie. "Dim *ond* o gwbl. Byddai'n rheitiach i chi'ch dau ddysgu cyd-dynnu, oherwydd byddwch chi'n perfformio *'Sgwrsio'* yn y cyngerdd hanner tymor, a dwi eisio iddo fo fod yn berffaith. Dim rhagor o gythraul canu. Deall?"

9. Noson Ofnadwy

Yn ei ystafell wely y noson honno, ar ôl gorffen ei wersi, cafodd Dan gyfle i edrych yn iawn ar y gerddoriaeth roedd Huwcyn ap Siôn Ifan wedi ei rhoi iddo. Suddodd ei galon i'w sodlau. Byddai'n ddarn anhygoel i ddau ffrind ei chwarae. Petaen nhw'n llwyddo i gael yr amseru'n gywir, byddai ymwneud y drymiau â'i gilydd – weithiau'n cydchwarae, dro arall yn chwarae am yn ail – yn rhoi'r argraff bendant fod yr offerynnau'n sgwrsio â'i gilydd.

Roedd Huwcyn yn llygad ei le. Byddai angen cydweithio llwyr i'w berfformio'n berffaith. Ond yn ei fyw, ni welai Dan sut y medrai lwyddo i gael Charlie i gyd-dynnu ag o. Doedd o ddim eisiau i Huwcyn feddwl mai *fo* oedd yn gwrthod cydweithio. Ochneidiodd yn drwm a gwthio'r gerddoriaeth o'r neilltu.

Daeth Ed i mewn o'r ystafell molchi gan rwbio'i wallt er mwyn ei sychu'n gyflym. "Gwena wir!" meddai gan luchio'r lliain o'r neilltu. "Does bosib fod petha cynddrwg â hynna!"

"Gwaeth," atebodd Dan yn ddigalon. "Wela i ddim sut y bydd Charlie a fi'n barod byth i berfformio hwn yn y cyngerdd. Dan ni i fod i chwarae am yn ail drwy'r adeg. Dyma'i linell gerddoriaeth o – o dan f'un i. Ei ddrwm snêr o sy'n cychwyn a f'un inna'n dod i mewn wedyn. Yna ei ddrwm tom o, ac wedyn f'un i, ac yn y blaen. Os na chwaraewn ni'n iawn, bydd yr holl beth yn swnio'n ddychrynllyd!" Tynnodd ei fys ar hyd dwy ran y darn.

Edrychodd Ed ar y papur a chwibanu'n isel. "Wela i be wyt ti'n feddwl." Rhoddodd ei fys ar ran yn nes ymlaen yn y gerddoriaeth. "Dwi ddim yn medru darllen cerddoriaeth drwm yn dda iawn, ond *dwi* hyd yn oed yn gallu gweld fod yn rhaid i'r amseru fod yn berffaith er mwyn iddo swnio'n debyg i rywbeth. Mae'n rhaid bod Huwcyn yn meddwl y byddai hwn yn eich gorfodi chi'ch dau i dreulio amser efo'ch gilydd."

"Mae'n siŵr," cytunodd Dan yn ddigalon. "Fe wnes i 'ngorau glas i drafod y peth efo Charlie ar ôl te, ond doedd ganddo fo ddim diddordeb." Rhoddodd Dan y gerddoriaeth o'r neilltu gan geisio anghofio'i bryderon am dipyn. Oedd hi'n werth iddo ailgydio yn y llyfr roedd o ar hanner ei ddarllen? Byddai'n bryd diffodd y goleuadau toc.

Daeth Cochyn i mewn efo Ben. Caeodd y drws a phwyso'i gefn yn ei erbyn.

"Cwffas gobennydd!" cyhoeddodd yn ddramatig.

Cododd Dan ei olygon oddi ar y llyfr. Doedd ganddo ddim awydd cwffas gobennydd o gwbl. Teimlai'n rhy ddigalon. "Dydi o'n ddim o 'musnes i," meddai.

" 'Sgen ti ddim dewis," protestiodd Cochyn. "Nid fy syniad i ydi o. Dwi newydd glywed Charlie yn yr ystafell molchi. Mae criw ei ystafell o yn mynd i ymosod arnon ni ar ôl i'r golau ddiffodd. Fedri di ddim gorwedd yn fan'na yn anwybyddu be sy'n digwydd."

Bu'n rhaid i'r drafodaeth ddod i ben pan ddaeth

Mr Smith draw i ddiffodd y golau. Am ychydig funudau ar ôl iddo fynd, gorweddodd pawb yn y tywyllwch heb siw na miw. Yna cododd Cochyn ar ei eistedd a goleuo'r lamp wrth erchwyn ei wely.

"Gynted ag y byddan nhw'n meddwl ei bod hi'n ddiogel, fe ddôn' nhw i mewn yma," sibrydodd yn gryg. "Be wnawn ni?"

Diflannodd digalondid Dan. Teimlai mor, mor ddig. Doedd tynnu'n groes a'i fwlio o hyd, a gwrthod trafod y darn roedd yn rhaid iddyn nhw ei chwarae ddim yn ddigon gan Charlie. Roedd o'n mynd i ddechrau cwffas gobennydd rhwng eu hystafelloedd hefyd. Y cyfan roedd Dan eisiau oedd tipyn o lonydd.

Fel arfer roedd cwffas gobennydd yn andros o hwyl, ond y tro hwn byddai'n llawn drwgdeimlad. Roedd hynny'n berffaith amlwg, a gwyddai Dan hefyd ei bod yn amhosib mwynhau brwydr dda os oedd pawb yn wir elynion. Ond roedd Cochyn yn llygad ei le. Fedrai Dan ddim gorwedd yno yn anwybyddu'r hyn oedd yn digwydd. Byddai Charlie yn sicr o anelu'n syth ato. Doedd dim gobaith ei osgoi.

"Iawn!" Neidiodd Dan o'i wely a chodi ar ei draed. "Rho fenthyg dy obennydd i mi, Ed!" Roedd holl obenyddion yr ysgol wedi eu gwneud o sbwng ysgafn, ond cwynai Ed na fedrai gysgu'n iawn arnyn nhw, ac felly roedd o wedi dod â'i obennydd plu ei hun o'i gartref. Byddai'n arf mwy bygythiol o lawer.

"Iawn."

"Be wyt ti'n mynd i 'neud?" holodd Cochyn.

Ffeiriodd Dan obennydd efo Ed a throi at Cochyn. "Dwi am fynd allan drwy'r ffenest a mynd draw i'r pen pella. Fe ddringa i'n ôl i mewn ym mhen draw'r coridor ac ymosod ar Charlie o'r tu cefn. Cwffas wir! Gaiff o gwffas!"

Rhythodd ffrindiau Dan arno. "Dan ni ddim i fod i ddringo allan drwy'r ffenestri os nad oes 'na dân a ninna'n methu mynd allan unrhyw ffordd arall," protestiodd Cochyn. "Mae'n beryg."

"Dydi o ddim ond yn beryg os wyt ti'n chwarae'n wirion," mynnodd Dan. "Mae 'na ymyl efo canllaw i dy rwystro di rhag syrthio oddi ar y to. Fyddai 'na ddim allanfa dân yno petai o mor beryg â hynny, beth bynnag." Edrychai Cochyn yn amheus iawn, heb gael ei argyhoeddi o gwbl, ond roedd Dan yn benderfynol o ddal at ei gynllun. "Dan ni ddim i fod i gael cwffas gobennydd chwaith, ond dydi hynny rioed wedi'n rhwystro ni, nac ydi?" ychwanegodd.

"Does 'na ddim ffenestri ar agor ym mhen draw'r coridor," meddai Ed wrtho. "Sut doi di 'nôl i mewn?"

"Af i agor un," cynigodd Ben. Brysiodd o'r ystafell, a thra oedd o wedi mynd, agorodd Dan y ffenest ac edrych allan.

"Byddi di mewn andros o helynt os cei di dy ddal," rhybuddiodd Ed.

Ond doedd dim modd dal pen rheswm efo Dan. "Dwi wedi cael *llond bol* ar Charlie Owen," meddai'n ffyrnig. "Mae'n *rhaid* i mi ddangos iddo fo nad ydw i am gael fy mwlio ganddo fo. Chaiff o mo 'nhrin i fel baw!"

"Dwi wedi agor ffenest wrth ymyl ystafell Charlie," meddai Ben wrtho pan ddaeth yn ôl. "Fe ddylet ti fedru dringo i mewn yn ddigon hawdd, a'i glywed o'n dod allan i ddechrau'r gwffas."

"Diolch, Ben."

Gwthiodd Dan obennydd mawr Ed drwy ffenest y llofft a dringodd allan ar ei ôl. Roedd y gwynt yn fain a byddai'n dda ganddo petai wedi gwisgo ei gôt nos. Ond er gwaetha'r oerfel a'r tywyllwch, roedd hi wir yn ddigon diogel rhwng ffenestri'r llofftydd. Byddai'n rhaid i rywun fod yn hurt bost i ddringo ar yr ymyl cyn bod unrhyw beryg iddyn nhw syrthio. Ond roedd bod ar y to yn gwbl groes i'r rheolau ac fe *fyddai* mewn helynt difrifol iawn petai'n cael ei ddal.

Munud neu ddau yn unig gymerodd hi i Dan gyrraedd y ffenest roedd Ben wedi'i hagor iddo. Rhoddodd ei ben i mewn a gwrando. Roedd popeth yn dawel. Doedd o ddim eisiau dringo i mewn cyn i Charlie a'i griw ddod allan o'u hystafell. Roedd o eisiau'r fantais o ymosod yn annisgwyl o'r cefn.

Arhosodd yn llonydd. Clywodd wiiiiiiich dwrn drws – drws llofft Charlie yn agor. Cuddiodd Dan yn y cysgodion. Arhosodd am rai eiliadau wedyn er mwyn bod yn sicr. Yna straffagliodd ar flaenau'i draed i'r coridor llwyd-dywyll.

Roedd yn rhaid iddo frysio! Roedden nhw wedi

diflannu rownd y gornel yn barod a bron â chyrraedd ei ystafell o erbyn hyn, mae'n debyg. Roedd o eisiau ymosod ar Charlie cyn i neb arall ymuno â'r gwffas. Brwydr rhwng dau oedd hon. Bwriadai Dan wneud i'w elyn grynu'n ei sodlau.

Cydiodd yn y gobennydd yn dynn.

Dyma flas o dy ffisig dy hun iti, Charlie Owen!

Cododd y gobennydd ar ei ysgwydd. Dechreuodd redeg â'i ben i lawr. Fedrai dim byd ei rwystro bellach. Teimlai'n ddig. Yn fwy dig nag erioed o'r blaen yn ei fywyd. Llosgai anghyfiawnder ymddygiad Charlie tu mewn iddo. Cydiai'n dynn, dynn yn y gobennydd tu ôl i'w ben, wedi ei ddal yn barod i roi swadan galed, galed.

Rhedodd nerth ei draed rownd y gornel. Gwelodd rywun o'i flaen ... ond ... oedd y siâp yn iawn? Rhy hwyr. Fedrai o ddim stopio. Roedd y gobennydd eisoes yn hedfan drwy'r awyr a'r cocyn hitio heb syniad beth oedd ar fin digwydd.

Clec! Ffrwydrodd cwmwl o blu dros bobman.

Simsanodd targed Dan yn erbyn y wal. Hedfanodd ei sbectol drwy'r awyr a chlywodd Dan y gwydr yn crensian wrth gael ei sathru ynghanol yr anhrefn. Bu bron i lygaid Dan sboncio o'i ben. Arswyd mawr! Doedd gan Charlie ddim sbectol! Doedd gan Charlie ddim gwallt brith! Fyddai o byth yn gwisgo côt weu chwaith. Nid Charlie oedd hwn. Doedd o ddim hyd yn oed yn ddisgybl. Y dyn roedd Dan wedi gobeithio gwneud argraff dda arno cyn i'w holl gêr drymio chwalu'n llanast oedd o – Owain Tudur!

10. Camgymeriad Dychrynllyd

Roedd hi'n dawel fel y bedd. Lluwchiai'r plu drwy'r awyr cyn syrthio'n araf i'r llawr. Yn ofalus, plygodd Owain Tudur i godi'r sbectol â'r gwydr wedi torri'n deilchion. Edrychodd arni'n ofalus am funud cyn ei rhoi ym mhoced ei gôt weu.

Owain Tudur! Beth oedd o'n ei wneud yn fan'ma? Mae'n rhaid ei fod o'n gwneud gwaith Mr Smith y noson honno. Dyna beth oedd anlwc – ei fod o wedi penderfynu dod i weld oedd popeth yn iawn ar yr union adeg yma.

Roedd Dan eisiau dianc, ei heglu hi am ei fywyd, cymryd arno nad fo oedd o. Ond roedd hi'n llawer rhy hwyr i hynny. Roedd Owain Tudur yn adnabod Dan yn dda iawn, ac roedd gan Dan feddwl mawr o Owain Tudur. Ond fyddai hynny'n ddim help o gwbl yn awr. Heblaw am Mrs Powell, pennaeth yr ysgol,

Owain Tudur, mae'n debyg, oedd y gwaethaf yn yr holl ysgol i hyn ddigwydd iddo. Roedd o'n beiriannydd ardderchog ac yn athro da, ond doedd ganddo fawr o gydymdeimlad â phobl ifanc.

Byddai'n ddigon drwg petai Dan wedi taro Mr Smith, ond roedd gan Mr Smith feibion ei hun a byddai gwell gobaith iddo fo ddeall y sefyllfa.

"Mae'n wir ddrwg gen i," ymddiheurodd Dan yn ddiffuant i Owain Tudur. "Yn wirioneddol ddrwg gen i. Doeddwn i ddim yn sylweddoli mai chi oedd yna." Cododd ddarn o wydr sbectol a'i roi yn llaw yr athro.

"Ydi pawb arall yn d'ystafell di?" gofynnodd Owain Tudur, a'i lais yn crynu braidd.

Nodiodd Dan yn fud.

Agorodd Owain Tudur ddrws ystafell Dan. Roedd y goleuadau i gyd wedi diffodd a phawb i bob golwg yn cysgu. "Dos i dy wely, felly," meddai.

Aeth Dan i'w ystafell, a chau'r drws tu cefn iddo. Crynai drwyddo. Aeth i'w wely a gwrando. Am ychydig eiliadau roedd popeth yn ddistaw tu allan i'r ystafell. Yna clywodd sŵn traed yn cilio i lawr y coridor.

Beth oedd wedi digwydd i Charlie? Nid fo glywodd Dan yn dod allan o'r ystafell, mae'n rhaid. Owain Tudur oedd yno, yn edrych *i mewn* i ofalu fod popeth yn iawn. Roedd Charlie a'i ffrindiau yn ddiogel yn eu gwelyau. Fydden nhw byth yn dechrau cwffas gobennydd yn awr, gan wybod fod Owain Tudur yn prowla o gwmpas y lle. Sôn am anffawd ddychrynllyd, ofnadwy o ddrwg.

Yna, clywodd Dan y gwelyau eraill yn gwichian wrth i'w ffrindiau godi ar eu heistedd.

"Be ddigwyddodd?" sibrydodd Cochyn yn gryg. "Efo pwy oeddet ti'n siarad?"

Cymerodd Dan anadl ddofn. "Owain Tudur," atebodd, gan geisio cadw'i lais rhag crynu.

"Owain Tudur?" Swniai Cochyn wedi dychryn.

"Fo sy ar ddyletswydd, felly fydd 'na ddim cwffas gobennydd," eglurodd Dan, yn ceisio cadw'r sŵn crio o'i lais ar ôl sylweddoli peth mor ofnadwy roedd o wedi'i wneud.

"Dyna ddwedodd Charlie?" gofynnodd Ed.

"Welais i ddim golwg ohono fo," meddai Dan.

"Chest ti mo dy ddal yn dringo drwy'r ffenest?"

holodd Ben yn bryderus.

"Naddo," atebodd Dan yn grynedig. "Fedrwch chi i gyd gau eich cegau rŵan?" crefodd. Roedd o eisiau llonydd i deimlo'n hunandosturiol. "Dwi eisio mynd i gysgu."

"Dim ond gofyn o'n i," gwrthwynebodd Ben.

Ddywedodd Dan ddim byd arall. Gorweddodd i lawr, troi ar ei ochr, cau ei lygaid a cheisio anghofio'r llun o'r gobennydd yn taro pen Owain Tudur.

"Wyt ti'n iawn?" gofynnodd Cochyn.

Gwasgodd y dagrau drwy amrannau Dan wrth iddo orwedd yn y tywyllwch. Gydag ymdrech fawr llwyddodd i ateb "Ydw" yn swta. Tawelodd yr ystafell. Sychodd Dan ei lygaid â chefn ei law gan swatio o dan y dwfe.

Doedd o erioed yn ei fywyd wedi teimlo mor ofnadwy.

* * *

Yn y bore, deffrodd Dan cyn y lleill. Prin ei fod wedi cau ei lygaid o gwbl. Roedd ei feddwl wedi bod yn ail-fyw y digwyddiad yn y coridor drosodd a throsodd a throsodd. Yn awr teimlai'n hollol wag tu mewn. Gwyddai y byddai'n debyg o gael ei ddiarddel o'r ysgol. Sgubwyd ei bryderon ynghylch ceisio cael Charlie i ymarfer efo fo ymaith gan y trychineb newydd difrifol yma.

Cododd o'i wely yn ddistaw ac aeth i lawr y grisiau. Agorodd y drws ffrynt a sefyll ar y rhiniog am funud. Edrychodd allan gan grynu. Roedd hi'n dal yn dywyll a'r ddaear yn wyn gan farrug. Byddai'n ddiwrnod oer iawn, ond nid yr oerfel a frifai ei galon.

Roedd o eisiau gwisgo'i gôt a dianc, ond gorfododd ei hun i gau'r drws drachefn. Doedd Dan ddim yn gachgi nac yn llwfrgi chwaith. Gwyddai'n iawn na fyddai dianc yn datrys dim byd o gwbl. Felly aeth ar hyd y coridor a chanu cloch Mr Smith. Roedd yr athro wrthi'n bwyta'i frecwast.

"Be ar wyneb y ddaear sy'n bod?" gofynnodd pan welodd wyneb gwelw, pryderus Dan. "Mae'n well i ti ddod i mewn."

Adroddodd Dan yr hanes o'r dechrau i'r diwedd. Roedd pethau wedi mynd yn rhy bell o lawer iddo fedru ymdopi â nhw ar ei ben ei hun. Gwrandawodd Mr Smith tra oedd o'n bwyta'i dôst, a'i wyneb yn mynd yn fwyfwy difrifol fel roedd y stori drist yn mynd yn ei blaen.

"Pam ar wyneb y ddaear na ddaethost ti ata i cyn gynted ag y dechreuodd Charlie dynnu'n groes?" gofynnodd yn flin. "Rwyt ti'n gwybod yn iawn nad ydi bwlio'n dderbyniol yn yr ysgol yma. Ac nid achwyn fyddet ti chwaith. Os na fydd pobl yn cwyno, wnaiff bwlio byth ddod i ben. Erbyn hyn mae petha wedi mynd dros ben llestri go iawn. Bechod 'mod i wedi gorffen gweithio'n gynnar neithiwr," ychwanegodd. "Petawn i yma gallwn i fod wedi rhwystro hyn rhag digwydd. Ond fedra i ddim bod ar ddyletswydd bedair awr ar hugain y dydd, bob dydd."

Wyddai Dan ddim beth i'w ddweud, felly ysgydwodd rhyw fymryn ar ei ben.

Cododd Mr Smith ar ei draed ac aeth â'i lestri budron at y sinc. "Wel, mae'n rhy hwyr bellach. Cwestiynau, holi a stilio, dyna fydd hi rŵan. Bydd yn rhaid i Mrs Powell gael gwybod. Wyt ti'n sylweddoli y gallai Owain Tudur ofyn i'r ysgol dy ddiarddel? Fe wna' i beth bynnag fedra i er mwyn dy helpu di, ond ella na fydd hynny'n ddigon. Chdi *o bawb,* Dan! Sôn am wastraff. Prin y medra i gredu'r peth. Dydi ymosod ar un o'r athrawon byth yn dderbyniol, beth bynnag ydi'r rheswm."

"Wn i." Cymerodd Dan anadl ddofn, grynedig. "Hoffwn i fynd i weld Owain Tudur, i ymddiheuro eto. Ydi hynny'n iawn?"

Ochneidiodd Mr Smith. "Wn i ddim wir, Dan. Ella y byddai'n well gadael i bopeth fod ar y funud. Ffonia i Mr Tudur i 'neud yn siŵr ei fod o'n deall yn iawn pa mor ofnadwy rwyt ti'n teimlo, ac i egluro cefndir y digwyddiad. Gad inni weld sut dymer sydd arno fo cyn iti fynd i'w weld o eto."

Canodd y ffôn ac aeth Mr Smith i'w ateb. Pan ddaeth yn ôl edrychai'n ddifrifol iawn.

"Y pennaeth oedd yna," meddai wrth Dan. "Mae hi eisio dy weld di'r munud yma."

* * *

Yn ddiweddarach o lawer, cyrhaeddodd Dan yr

ystafell fwyta i gael brecwast hwyr iawn. Cymerodd wydraid o lefrith ac aeth i eistedd ar ei ben ei hun. Gyda'i gefn yn grwm, edrychai'n fach ac yn unig iawn.

Edrychodd Ed ac Erin ar Cochyn.

"Pam na ddaeth o draw aton ni?" gofynnodd Erin.

"Dylen ni fynd ato fo i 'neud yn siŵr ei fod o'n iawn," meddai Ed yn anesmwyth.

"Mae'n amlwg nad ydi o ddim yn iawn," meddai Cochyn. "Mae'n rhaid fod rhywbeth dychrynllyd wedi digwydd neithiwr. A lle'r oedd o bore 'ma?"

Roedd Mr Smith wedi rhoi pregeth a hanner i'r bechgyn cyn brecwast y bore hwnnw. Doedd o ddim wedi crybwyll enw Dan o gwbl, ond roedd o wedi eu siarsio nhw nad oedd wiw i neb hyd yn oed feddwl am gwffas gobennydd o hyn allan. Roedd pawb yn berwi o gwestiynau, yn methu deall beth oedd wedi sbarduno'r fath bregeth. A ble'r oedd Dan? Ond doedd Mr Smith ddim yn barod i egluro o gwbl.

"Af i ato fo," penderfynodd Cochyn. "Arhoswch chi i gyd yn fan'ma." Aeth draw at fwrdd Dan ac eistedd i lawr. Edrychodd Dan arno ac yna trodd ei ben draw. Yn amlwg, doedd o ddim eisiau siarad.

"Dan? Ty'd 'laen. Fi ydi dy ffrind gorau di. Be sy'n bod? Lle buost ti? Dweud wrtha i. Ella y medra i 'neud rhywbeth i dy helpu di."

Yfodd Dan rhyw fymryn o'r llefrith cyn gwthio'r gwydryn draw. Corddai ei stumog rownd a rownd a fedrai o ddim gorfodi'i hun i'w yfed. Eisteddai ei ffrind gorau wrth ei ochr, yn dyheu am gael ei helpu, ond fedrai Dan ddim gorfodi'i hun i ddweud beth oedd yn bod, ddim hyd yn oed wrth Cochyn.

"Fedra i ddim," meddai, gan droi at ei ffrind o'r diwedd, wedi ei lorio gan beth oedd wedi digwydd. Fedrai o ddim dechrau egluro hyd yn oed. "Mae'n ddrwg gen i, Cochyn. Ond fedra i ddim."

11. Amser Anodd

Ond roedd ar Dan wir angen rhannu'i broblemau efo rhywun. Ac ymhen ychydig funudau, daeth ei ffrindiau i gyd draw ato yn llawn cydymdeimlad. Doedd ganddyn nhw ddim syniad beth oedd yn bod, ond roedden nhw i gyd eisiau ei helpu.

Eisteddodd Erin wrth ochr Dan a rhoi ei llaw ar ei fraich. "Ydi Charlie wedi gwneud rhywbeth arall?" gofynnodd yn dawel.

Ysgydwodd Dan ei ben.

"Rhywbeth ddywedodd Owain Tudur neithiwr sy'n dy boeni di?" ceisiodd Cochyn ddyfalu, ond ysgydwodd Dan ei ben wedyn.

"Nage!" meddai wrthyn nhw.

"Be maen nhw wedi'i 'neud i ti?" gofynnodd Erin yn bryderus.

"Nid *nhw*!" Ffrwydrodd y geiriau o geg Dan. *"Fi."*

Gwasgodd ei ben yn ei ddwylo gan riddfan. "Be ydw *i* wedi 'neud sy'n ofnadwy ... Dwi 'di ... dwi 'di taro Owain Tudur yn lle Charlie."

Aeth y lle'n dawel fel y bedd. Doedd yna'r un smic i'w glywed.

"Doeddwn i ddim yn *trio!*" ychwanegodd Dan yn gryg a chodi'i ben drachefn. "Roeddwn i'n barod i daro Charlie efo'r gobennydd. Rhuthrais rownd y gornel yn barod amdano. Roeddwn i'n *berffaith* sicr mai fo fyddai yno. Yna ... erbyn i mi sylweddoli nad fo oedd o ... roedd hi'n rhy hwyr."

Wyddai neb beth i'w ddweud.

"Dwi newydd fod yn gweld Mrs Powell," ychwanegodd Dan mewn llais bychan.

"Be ddywedodd hi?" holodd Cochyn yn bryderus.

Cymerodd Dan anadl ddofn, grynedig. "Roeddwn i'n meddwl 'mod i'n mynd i gael fy niarddel," meddai'n dawel. "Ella y baswn i hefyd oni bai 'mod i wedi gwneud mor dda efo Owain Tudur yn y gorffennol. Roedd Mrs Powell eisio tanlinellu mai Owain Tudur oedd yn rhoi'r ail gyfle i mi." Edrychodd ar ei ddwylo. "Fo benderfynodd be fydd fy nghosb i hefyd," ychwanegodd.

Cydiodd Cochyn yn ysgwydd Dan. "Mae'n ddrwg gen i," meddai. "Petawn i ddim wedi sôn am y gwffas gobennydd, fyddai dim o hyn wedi digwydd."

"Nid chdi sy ar fai," meddai Dan wrtho. "Dof i drwy hyn, er na fydd o'n hawdd. Roedd fy amser rhydd i'n ddigon prin cyn y llanast yma, ond rŵan mae'n rhaid imi gadw'r stiwdio'n daclus a helpu Owain Tudur pan fydd o f'eisio i. Yn ogystal â hynny, cha' i ddim defnyddio'r stiwdio ar fy mhen fy hun weddill y tymor. Roeddwn i wedi bwriadu recordio rhan Charlie o *'Sgwrsio'* er mwyn imi gael chwarae efo'r tâp i gael yr amseru'n gywir, ond fedra i ddim rŵan."

Ysgydwodd Cochyn ei ben. "Mae hynny'n sobor," cytunodd.

"Ydi. A fydd gen i fawr o amser i ymarfer *dim byd* ar gyfer y cyngerdd chwaith, ond o leia ches i mo 'niarddel." Ymdrechodd i wenu, ond aeth y wên o chwith a bu bron iddo ddechrau crio.

"Fe helpwn ni i gyd," cynigodd Erin, "ac os dywedwn ni wrth bawb be sy wedi digwydd, dwi'n siŵr y bydd y rhan fwya o'r disgyblion yn gwneud mwy o ymdrech i gadw'r lle'n daclus. Maen nhw i fod i 'neud hynny beth bynnag."

Edrychodd Ed ar y cloc. "Dylen ni ei throi hi neu byddwn ni'n hwyr ar gyfer y wers gynta," meddai'n gyndyn.

"Fedra i ddim hyd yn oed cofio pa wers ydi hi," meddai Dan, gan rwbio'i ddwylo dros ei lygaid cochion, blinedig.

"Daearyddiaeth i ddechrau. Yna dan ni yn y stiwdio recordio am un wers," cynigodd Erin.

Griddfanodd Dan. Tybed fedrai o wynebu Owain Tudur drachefn, mor fuan ar ôl ei weld yn swyddfa Mrs Powell?

Ond roedd popeth yn iawn. Chymerodd Owain Tudur ddim arno fod neb dan gwmwl. Wnaeth o ddim cyfeirio at Dan o gwbl, ac roedd gan y rhan fwyaf o'r disgyblion ormod o ddiddordeb yn y wers i sylwi ar lygaid cochion a wyneb gwelw Dan, a'r ffaith fod gan Owain Tudur sbectol wahanol.

"Meicroffon *Neumann* ydi hwn," meddai Owain Tudur wrth y disgyblion. "Mae 'na feics rhatach ar y farchnad, ond hwn sy'n arfer cael ei ddefnyddio ar gyfer lleisiau. Welwch chi sut mae'n cael ei hongian wrth lastig ar y stand?"

"Pam?" gofynnodd Erin, oedd yn awyddus iawn i gael gwybod popeth dan haul am ganu.

"Dan ni ddim eisio i unrhyw smic o'r tu allan ddifetha petha pan fyddwn ni'n recordio," meddai Owain Tudur. "Mae hyd yn oed cryndod drwy'r llawr yn gallu gwneud gwahaniaeth, ond os ydi'r meic yn hongian wrth lastig o'r stand, wnaiff o ddim codi cryndod, a bydd y recordiad yn lanach ac yn burach. Wedi'r cyfan, cryndod ydi llais hefyd, a'r unig beth dan ni eisio'i godi ydi'r sain sy'n dod o'r geg, a dim byd arall. A be am y defnydd yma, yn dynn o flaen y meic? Be ydi diben hwn, tybed?"

"Ydi o'n meddalu'r sain?" gofynnodd Fflur, cantores frwd arall.

"Bron iawn," meddai Owain Tudur wrthi. "Mae'r seiniau caled dan ni'n 'neud, fel *t, p* neu *c*, yn gallu swnio fel ffrwydriadau pan fydd darn o offer mor gywrain yn eu recordio. Mae'r defnydd yn tyneru chydig ar y sŵn ffrwydro, a hefyd yn amddiffyn y meic rhag poer."

"Ych!" meddai rhywun o'r cefn. Cododd Owain Tudur ei ben gan edrych yn ddigon blin. Roedd Dan yn falch nad fo oedd mewn helbul y tro yma.

"Tu mewn i'r meic mae croen tenau, euraid. Dyna reswm arall pam mae hwn yn ddrud ac angen ei amddiffyn," meddai. Cydiodd mewn pentwr o bapurau a'u dosbarthu iddyn nhw.

"Mae'r taflenni gwaith yma yn cynnwys rhagor o wybodaeth ynghylch meicroffonau a sut maen nhw'n gweithio. Eich gwaith cartref ydi eu darllen yn ofalus ac yna ateb y cwestiynau. Ara deg!" rhybuddiodd, wrth i bawb wthio ymlaen i gydio mewn taflen. "Gwyliwch y meic!"

* * *

Yn ystod y dyddiau canlynol, daeth Dan i wybod yn iawn sut drefn roedd Owain Tudur yn hoffi ei chael yn y stiwdio. Roedd o'n berffeithydd, gyda'i ffordd arbennig ei hun o gordeddu ceblau a gosod y lefelau sain, a phob gorchwyl arall hefyd. Hoffai i'w stiwdio fod fel pin mewn papur. 'Mae lle i bopeth a phopeth yn ei le' oedd ei arwyddair. Cosb oedd presenoldeb Dan i fod, ac yn sicr, roedd hyn yn llyncu'i amser rhydd yn ddifrifol. Ond heblaw am boeni nad oedd Charlie'n fodlon cydweithio ag o ar 'Sgwrsio', sylweddolodd Dan ei fod yn mwynhau treulio'r holl amser efo Owain Tudur.

Roedd treulio cymaint o amser yn y stiwdio yn ei gadw'n ddigon clir o olwg Charlie, a chredai Dan fod Mr Smith wedi dweud rhywbeth wrth Charlie hefyd, oherwydd doedd o ddim mor awyddus i herio Dan pan oedden nhw yng nghwmni'i gilydd.

Yn ffodus, doedd Owain Tudur ddim yn un i ddal dig, a gwyddai faint o wir ddiddordeb oedd gan Dan yn ei bwnc.

"Weli di sut roedd hi'n canu allan o diwn braidd yn fan'ma," meddai Owain Tudur wrtho un noson pan oedden nhw'n cymysgu recordiad a wnaed yn ystod y dydd. "Ond pan rof i'r sain drwy'r bocs yma, medra i stumio'r nodyn nes ei fod o'n gywir."

Gwrandawodd Dan. Wrth i Owain Tudur daro'r swits, crynodd llais yr eneth nes cael ei diwnio'n berffaith gan y peiriant.

"Mae'n well os medran nhw ganu pob nodyn yn berffaith y tro cynta, wrth gwrs," meddai Owain Tudur wrth Dan. "Ond mae hyn yn ddefnyddiol iawn os ydi gweddill y recordiad yn ardderchog a dim ond ambell nodyn allan ohoni."

"Ond … dydi hynny … wel … dydi hynny ddim yn dwyllo?" gofynnodd Dan.

Nodiodd Owain Tudur. "Ella wir," cytunodd. "Ond y dyddiau yma dydi recordiad stiwdio ddim i fod fel perfformiad byw. Mewn perfformiad go iawn, rwyt ti'n siŵr o gael ambell gamgymeriad wrth gwrs, ond rwyt ti hefyd yn gallu teimlo cyffro'r cerddor a'r egni o ganu'n fyw ar lwyfan. Mewn stiwdio, rwyt ti'n disgwyl perffeithrwydd. Paid ag anghofio fod pob perfformiad byw yn unigryw, ond bydd di di'n gwrando ar gryno-ddisg dro ar ôl tro."

"Mae'n debyg y byddai clywed yr un camgymeriad rownd y rîl yn ddigon i yrru rhywun o'i go!" meddai Dan.

"Rwyt ti'n llygad dy le," cytunodd Owain Tudur.

"Af i olchi'n mygiau ni," cynigodd Dan ar derfyn y noson. Lledodd cysgod gwên dros wyneb Owain

Tudur wrth iddo nodio'i ben.

Roedd hi'n amser gwaith cartref ac roedd Cochyn ac Ed wedi dod i nôl Dan o'r stiwdio.

"A dweud y gwir, dwi'n mwynhau fy hun," cyfaddefodd Dan gan wenu wrth ollwng y dŵr o'r sinc a sychu ei ddwylo. "'Taswn i ddim mor benderfynol o fod yn ddrymiwr, ella y baswn i eisio bod yn beiriannydd recordio. Mae'r stiwdio sain yma'n wych."

Pan aethon nhw draw i'w tŷ ac i'r ystafell waith cartref, pwy oedd yno ond Charlie, efo Harri.

"Wn i ddim pam nad ei di â dy wely i'r stiwdio," meddai Harri. "Ti'n byw ac yn bod yno, yn slafio fel gwas bach i Owain Tudur."

"Dwi'n dysgu llawer ganddo fo," atebodd Dan. "Mwy nag a ddysgi di byth, fetia i."

Edrychodd Charlie arno'n ddig. "Am gosb!" meddai'n flin. "Pwy ond chdi fasa'n llwyddo i berswadio Owain Tudur mai chdi ydi'r peth gorau ers recordio digidol!"

Cododd Dan ei ysgwyddau a throi draw, gan ddifaru agor ei geg. Efallai y byddai Charlie yn codi helynt eto. Gyda'r cyngerdd yn nesáu bob dydd, fedrai o ddim fforddio i ddim byd arall fynd o'i le.

12. Galw i Gyfri

Ychydig ddyddiau cyn y cyngerdd, cerddai Dan ac Erin ar hyd y coridor pan ddaeth Charlie i'w cyfarfod rownd y gornel. Er syndod i Erin, siaradodd Dan yn glên efo fo.

"Hei! 'Sgen ti awydd ymarfer y darn 'na pnawn 'ma?" gofynnodd. Edrychodd Charlie mor syn ag y teimlai Erin.

"Am faint o'r gloch?" gofynnodd.

"Hanner awr wedi chwech ydi'r unig adeg dwi'n rhydd," atebodd Dan.

Lledodd gwên araf dros wyneb Charlie. "Nac ydw," meddai. "Dwi ddim yn ymarfer bryd hynny. Mae'n amser *'Rownd a Rownd'*, y lembo."

Gwthiodd Charlie heibio iddyn nhw. Trodd Erin i'w wylio'n mynd. Pan drodd yn ôl at Dan bu bron iddi faglu a syrthio'n erbyn Huwcyn ap Siôn Ifan.

"Charlie!" Swniai llais Huwcyn yn dawel, ond roedd ei lygaid yn dangos pa mor filain oedd o. Roedd o'n amlwg wedi clywed pob gair.

Daeth Charlie yn ei ôl a'i wyneb yn hollol ddifynegiant.

"Caiff rhaglenni teledu – waeth pa mor dda ydyn nhw – aros," meddai Huwcyn wrtho. "Gofala fod ym mhrif stafell yr Adran Roc am hanner awr wedi chwech. Gan dy fod di'n tynnu'n groes mor aml, ty'd â dy gêr dy hun yno. Mae'r stafell ymarfer yn rhy fach i ddwy set o offerynnau beth bynnag. Caiff Dan ddefnyddio rhai'r adran. A phaid hyn yn oed ag ystyried peidio dod," ychwanegodd yn oeraidd. "Bydda i yn fy swyddfa ac yn gallu clywed be fyddwch chi'n 'neud."

"Iawn," meddai Charlie yn sorllyd, gan edrych yn ddig iawn ar Dan cyn ei gwadnu hi oddi yno nerth ei draed.

"Lwcus iawn," meddai Erin wrth Dan wedi i Huwcyn ap Siôn Ifan fynd hefyd.

"Ddim o gwbl," atebodd Dan. Dyma'r tro cyntaf i Erin weld gwên ar ei wyneb ers hydoedd. "Sylwais i ar Huwcyn yn dod allan o'r stafell ymarfer y tu ôl i Charlie ac roeddwn i'n gobeithio y byddai o'n ein clywed ni'n sgwrsio."

Edrychodd Elin yn syn am funud. "Wel, Dan dan din!" chwarddodd. "Wyddwn i ddim dy fod di mor gyfrwys!"

"Doeddwn i ddim wedi'i gynllunio fo," meddai wrthi'n ddifrifol. "Roeddwn i wir eisio gofyn i Charlie ddod i ymarfer. Dan ni angen mynd drwy'r darn o leia unwaith efo'n gilydd, er mwyn i'r amseru fod yn iawn. Ond roeddwn i'n cymryd yn ganiataol na fyddai o ddim yn cytuno. Pan welais i Huwcyn ap Siôn Ifan yn dod, dyma fi'n meddwl y byddai'n gyfle da i'w gael o i ddod i ymarfer efo fi."

"Betia i y byddai Charlie wedi cytuno'n syth bin petai o wedi sylweddoli pwy oedd tu ôl iddo fo," meddai Erin gyda gwên. "Ond chafodd o ddim dewis, naddo!"

" 'Rhen ffŵl dwl," meddai Dan. "Mae'n rhaid inni ymarfer y darn efo'n gilydd. Os na wnawn ni, bydd y perfformiad yn draed moch. Efo agwedd Charlie, nid 'Sgwrsio' fydd o, ond 'Dadl'!"

"Paid â phoeni," meddai Erin. "Bydd pawb yn medru gweld dy fod di'n gwneud dy orau efo dy ran di."

"Mae'n ddigon hawdd dweud hynny," atebodd Dan yn ddifrifol. "Ond os na fydda i'n ofalus, bydd gwneud fy ngorau efo fy rhan i yn codi cywilydd ar Charlie a'i 'neud o'n elyn gwaeth fyth."

Dangosodd yr ymarfer yn yr Adran Roc i Dan faint o waith oedd angen ei wneud ar 'Sgwrsio' os oedd y darn yn mynd i swnio'n debyg i gerddoriaeth. Roedd Charlie'n amlwg wedi bod yn gweithio arno, ond er iddo ddechrau chwarae'n gall, yn fuan iawn tynnai'n groes bob cyfle gâi.

Gobeithiai Dan o hyd y byddai Huwcyn ap Siôn Ifan yn ymyrryd, ond ddaeth o ddim i mewn nes eu bod nhw bron â gorffen.

"Be ydi'r peth pwysica?" gofynnodd i'r ddau wrth i Charlie ddechrau cadw'i ddrymiau. "Perfformio'n dda neu dalu'r pwyth?"

Oherwydd diffyg cydweithrediad Charlie, roedd Dan bron â ffrwydro. Ond doedd o ddim eisiau dechrau dadlau, felly ddywedodd o ddim byd a wnaeth Charlie ddim byd ond plygu'i ben i guddio'i wyneb. Roedd yn rhaid i Dan frysio draw i'r stiwdio i osod meicroffonau ar gêr drymio i Huwcyn ap Siôn Ifan am fod band yn dod i mewn ato i recordio cân newydd. Hyd yn oed pan gyrhaeddodd yno yn fyr ei wynt, roedd Dan yn dal o'i go'n lân efo Charlie.

Tynnodd y ceblau o'r cwpwrdd lle'r oedden nhw wedi'u cordeddu'n daclus a dechrau cyplysu'r meicroffonau ar y drymiau. Yna araf, dechreuodd ymlacio ac anghofio'i helyntion wrth ganolbwyntio ar y gwaith.

Pan glywodd y drws yn agor, ni chododd Dan ei ben. Owain Tudur oedd yno, neu Huwcyn efallai, yn falch fod Dan wedi cyrraedd yno o'u blaenau ac wrthi'n gweithio'n gydwybodol. Felly pan arhosodd a chodi'i ben, synnodd a dychrynodd o weld Charlie Owen efo hen wên slei, annifyr ar ei wyneb ac amryw o geblau yn un llaw.

"Be wyt ti'n 'neud yn fan'ma?" gofynnodd Dan yn amheus.

"Meddwl ella dy fod ti eisio'r rhain," meddai Charlie. Gollyngodd un neu ddau o'r ceblau ar y llawr ac anelodd ambell gic atyn nhw.

"Paid," meddai Dan wrtho. "Daw Owain Tudur yma mewn dau funud."

"Na ddaw o ddim," meddai Charlie wrtho a chrechwenu'n falch. "Welais i o'n mynd draw i'r Adran Roc. Fedri di mo 'nhwyllo i fel'na!" Dechreuodd gerdded o amgylch Dan a'r gêr drymio, gan ollwng cebl hir o'i law wrth fynd.

"Mae'r stiwdio yma braidd yn flêr, dydi?" meddai'n wawdlyd wrth Dan. "Dwyt ti ddim i fod i gadw'r lle 'ma'n daclus?"

Gwasgodd Dan ei ddannedd. Doedd o *ddim* yn mynd i wylltio efo Charlie. Pan fyddai'n gwylltio, byddai pethau'n gwaethygu bob tro. "Be am inni ymarfer eto fory?" gofynnodd Dan, i geisio rhwystro Charlie rhag gwneud mwy o lanast.

"Does arna *i* ddim angen ymarfer," broliodd Charlie. "Fydda *i*'n iawn. Dwi wedi recordio fy hun yn chwarae dy ran di er mwyn imi gael yr amseru'n iawn, wrth gwrs. Fedri *di* ddim gwneud hynny gan nad wyt ti'n cael defnyddio'r stiwdio. Hen dro, ynte?" ychwanegodd.

"Ond, o ddifri, dylen ni fynd drwy'r darn eto cyn y cyngerdd," meddai Dan wrtho.

"Dim ffiars o beryg," meddai Charlie gan ryddhau mwy o'r cebl wrth grwydro o amgylch y stiwdio. "A chditha'n gymaint o giamstar ar ddrymio, siawns na fedri di aros tan y perfformiad?"

"Hen jolpyn wyt ti!" gwaeddodd Dan, yn methu dal ei dafod un eiliad yn rhagor. "Rwyt ti'n difetha popeth, a gad lonydd i'r cebl 'na!"

Edrychodd Charlie arno'n slei. "Crynu yn dy sodlau wyt ti? Ofn i Owain Tudur ddweud y drefn?" Yna lluchiodd gylch o gebl gan daro meicroffon i'r llawr. Clec!

"Paid! Mae'r offer yma'n ddrud," meddai Dan a chodi'r meic yn bryderus.

Ond doedd Charlie ddim yn gwrando. Roedd o wedi cymryd torch o gebl ac yn ei chwyrlïo uwch ei ben fel laswˆ. "Betia i y medra i gael hwn dros dy ben di!" bloeddiodd. Llaciodd ei afael rywfaint a thyfodd y cylch yn fwy.

"Charlie! Paid!" galwodd Dan, gan wirioneddol boeni am yr offer yn ogystal ag amdano fo'i hun.

Cododd ar ei draed a cheisio symud draw oddi wrth y gêr drymio, ond daliodd Charlie i chwyrlïo'r cylch cebl o'i flaen. Chwibanodd hwnnw drwy'r awyr yn beryglus a chynhyrfodd Dan fwy fyth. Doedd wybod beth wnâi Charlie nesa petai'n llwyddo i luchio'r cylch dros ben Dan.

Lluchiodd Charlie'r cylch, ond gwyrodd Dan ei ben a thrawodd ei ysgwydd cyn syrthio i'r llawr, gan osgoi'r drymiau o drwch asgell gwybedyn.

" 'Rhen ffŵl hurt!" gwaeddodd ar Charlie. "Nid fy gêr drymio i ydi hwn!"

"Ond dy gyfrifoldeb di ydi o, ynte?" chwarddodd Charlie. "Ac mae gêr drymio yn dueddol o chwalu'n deilchion yn dy ofal di. Ddylet ti ddim troi dy gefn arnyn nhw yn ystod amser egwyl. Gallai mil a mwy o betha ddigwydd iddyn nhw!"

"Roeddwn i'n *gwybod* mai chdi wnaeth!" ffrwydrodd Dan yn ddig.

"A wnest ti ddim hyd yn oed sylwi 'mod i wedi dadsgriwio popeth nes iti ddechrau chwarae," broliodd Charlie. "Wnes i rioed chwerthin gymaint yn fy mywyd!"

Tynnodd Charlie y cebl yn ôl, a dechrau ei chwyrlïo drachefn.

"Dwi wedi dy ddal di!" sgrechiodd, a lluchio'r cebl unwaith yn rhagor.

Er mawr arswyd i Dan, aeth y cebl o chwith yn ddifrifol ac yn lle syrthio drosto fo, fel lasŵ, syrthiodd ar ben y meicroffon Neumann drudfawr.

Yna, digwyddodd popeth efo'i gilydd. Siglodd y meic yn wyllt ar ei stand. Neidiodd Dan i'w arbed rhag disgyn, ond fel roedd o'n ymestyn i'w ddal, ffrwydrodd Owain Tudur i mewn i'r ystafell a'i wyneb fel taran.

13. Y Cyngerdd

"Be wyt ti'n 'neud?" gwaeddodd Owain Tudur fel roedd Dan yn cythru i afael yn y meic cyn iddo ddisgyn i'r llawr.

Clywodd lais arall hefyd, ond roedd hwnnw'n dod i'r stiwdio o'r ystafell reoli drwy'r chwyddwr llais.

"Aros lle'r wyt ti!" Huwcyn ap Siôn Ifan oedd o. Edrychodd Dan i gyfeiriad yr ystafell reoli. Roedd yr athro a arferai fod mor hamddenol yn edrych yn gandryll o'i go.

Â llaw grynedig, llonyddodd Dan y stand yn ofalus, ac yna gollyngodd o. Roedd y meicroffon bregus wedi cael cnoc go hegar gan Charlie. Hongiai'n flêr o'r crud lastig. Trodd calon Dan tu chwith allan. Roedd arno awydd eistedd i lawr a beichio crio. Unwaith yn rhagor, byddai'n edrych fel petai o ar fai, a Charlie'n cael ei draed yn rhydd.

Byddai'n sicr o gael ei ddiarddel o Ysgol Plas Dolwen y tro hwn, o byddai.

Ond doedd Huwcyn ap Siôn Ifan nac Owain Tudur chwaith ddim yn edrych ar Dan. Ar Charlie Owen roedden nhw'n bwrw'u llid.

"Fandaliaeth fwriadol sy'n haeddu cosb lem," meddai Huwcyn yn hynod ddig wrth Charlie. "A'r peth cynta fydda i'n 'neud ydi sgwennu at dy dad. Ty'd i'r stafell reoli."

Ufuddhaodd Charlie ar unwaith a'i wyneb yn wyn fel y galchen.

"Mae dy ymddygiad di y tymor yma wedi bod yn warthus," meddai Huwcyn wrth Charlie, ei lais i'w glywed yn glir drwy feicroffon y stiwdio. "Mae'r lle 'ma'n draed moch … " Chwifiodd ei law i gyfeiriad y llanast yn y stiwdio. " … A does dim esgus o gwbl am ymyrryd â gêr drymio Dan cyn y perfformiad. Yn anffodus i ti, roedd y meic ymlaen a chlywson ni bob gair. Mi fedrwn i, petawn i'n dymuno, dy ddiarddel di o Blas Dolwen yr eiliad yma. Dos i fy swyddfa wir, ac aros yno tan imi gyrraedd."

Ar ôl i Charlie fynd, daeth Huwcyn i'r stiwdio at

Owain Tudur a Dan. "Ydi o'n iawn?" gofynnodd Dan i Owain Tudur, a oedd yn astudio'r meicroffon drud.

"Gobeithio," atebodd yr athro. "Ga i weld yn iawn wedi imi ei roi o'n ôl yn ei grud."

Yna trodd Huwcyn at Dan. "O be glywson ni'n dau, dwi ddim yn meddwl fod bai o gwbl arnat ti am hyn i gyd, Dan," meddai. "Roeddwn i wedi gobeithio – 'taet ti a Charlie yn perfformio efo'ch gilydd yn y cyngerdd – y byddai eich cariad at greu cerddoriaeth yn drech na'r drwgdeimlad 'ma, ac y byddai'r cythraul canu hurt yn diflannu. Ond does dim gobaith y bydd hynny'n digwydd bellach." Edrychai Huwcyn yn flinedig, wedi'i orchfygu bron. "Mae popeth yn iawn," ychwanegodd yn garedig wrth weld yr olwg boenus ar wyneb Dan. "Wn i dy fod ti wedi bod yn fodlon rhoi cynnig arni, ond dwi'n sylweddoli nad oes gobaith i betha weithio. Fydd dim rhaid iti chwarae efo Charlie Owen."

* * *

Deffrodd Dan yn gynnar fore'r cyngerdd.

Gorweddodd yn dawel yn ei wely am funud, yn gwrando ar y dŵr yn byrlymu wrth i system gwres canolog y tŷ ddechrau cynhesu. Gwnâi'r gwresogydd ger ei wely sŵn tician wrth ddod i wres. Gan hanner cysgu o hyd, cliciodd ei fysedd ar y dwfe fel eco i'r tician. Yna cliciodd yn uwch, cyn dechrau ychwanegu cymysgedd o guriadau bychain oedd yn cyfateb i guriadau'r gwresogydd. O'r diwedd rhoddodd y gorau i'w ddrymio tawel ac agorodd ei geg yn ddioglyd. Gwthiodd ei goesau allan o'r gwely a chodi'n ddistaw bach rhag iddo ddeffro'r lleill.

Doedd dim gwersi ar ddyddiau cyngerdd, ac roedd Owain Tudur wedi esgusodi Dan o'i ddyletswyddau stiwdio hefyd, felly roedd o'n rhydd i ymarfer hynny fynnai. Yn awr, gan ei fod wedi deffro, ysai am fynd i weithio, felly ar ôl cael cawod sydyn, rhedodd i lawr y grisiau.

Roedd un neu ddau o ddisgyblion eraill o gwmpas, ond fyddai'r mwyafrif ddim yn dod i'r golwg tan ychydig yn ddiweddarach. Cerddodd Dan i gyfeiriad yr ystafelloedd ymarfer yng nghwmni Tony

Jackson, un o'r drymwyr hynaf.

"Rwyt ti'n chwarae'r darn arbrofol 'na i'r dawnswyr ieuenga, on'd wyt ti?" holodd.

"Ydw," nodiodd Dan yn swil.

"Dwi'n edrych ymlaen at glywed hwnna," meddai'r bachgen. "Hwyl fawr iti." Edrychodd Dan arno'n llawn edmygedd wrth iddo agor drws yr ystafell gynta a'i gau tu cefn iddo.

Tony Jackson yn dymuno'n dda i mi! meddai wrtho'i hun. *Waw!*

Dyna beth oedd dechrau da i'r diwrnod! Roedd Tony Jackson yn ddrymiwr jazz hynod o dalentog, yn disgleirio hyd yn oed ym Mhlas Dolwen, lle'r oedd cymaint o blant dawnus iawn. Bwriadai fynd i goleg cerdd yn y dyfodol ac roedd o eisoes wedi chwarae gyda band proffesiynol.

Aeth Dan i mewn i'w ystafell ymarfer a gosod ei hun y tu ôl i'w offerynnau drymio. *Wel, dyma un ymdrech olaf,* meddai wrtho'i hun. *Fedra i ddim gwneud mwy na 'ngorau.*

Er gwaetha'r holl broblemau, a Huwcyn ap Siôn Ifan yn dweud wrtho nad oedd raid iddo, roedd Dan wedi mynnu ei fod yn chwarae *'Sgwrsio'* efo Charlie.

Roedd Cochyn a'r lleill yn meddwl fod Dan yn gwbl wallgo. Hollol honco! Roedd o wedi dweud ar y dechrau fod yn gas ganddo'r syniad ac roedd Charlie wedi achosi digon o boen meddwl iddo. Pam roedd o eisiau chwarae efo rhywun oedd wedi creu gymaint o helynt? Ar ôl y ffasiwn dynnu'n groes? Ar ôl y ffasiwn gythraul canu?

Wyddai Dan ei hun ddim yn iawn pam roedd o mor benderfynol. Ond doedd o ddim wedi bod yn un i ildio i ddim byd erioed. Gwyddai fod Charlie yn ddrymiwr talentog a theimlai'n gandryll fod bachgen mor ddawnus yn barod i ddifetha'r union beth roedd o'n ei wneud orau, oherwydd rhyw fymryn o gythraul canu. Doedd bosib nad oedd pleser y chwarae yn gryfach na dim arall yn y diwedd? Ond dyna oedd gobaith Huwcyn ar un adeg, a doedd hynny ddim wedi digwydd.

Doedd Charlie ddim wedi meiddio gwrthod cydweithio efo Dan wedyn, ac felly roedd hi wedi bod yn haws trefnu ymarfer gyda'i gilydd, ond roedd Huwcyn wedi rhybuddio Dan nad cydweithio'n unig oedd yn sicrhau cerddoriaeth dda.

"Medri di ei lusgo fo gerfydd gwallt ei ben i ymarfer," meddai, "ond fedri di ddim gorfodi'i ddrymio fo i serennu, a dyna wyt ti wir ei angen. Fydd neb yn meddwl dim llai ohonot ti os byddi di'n penderfynu tynnu'n ôl."

Ond doedd Dan ddim wedi tynnu'n ôl, ac roedd diwrnod y cyngerdd wedi cyrraedd heb iddo gael unrhyw lwyddiant efo Charlie.

Tynnodd Dan ei fysedd yn ysgafn dros ei ddrymiau a'i symbalau. Doedd dim pwrpas meddwl am Charlie rŵan. Roedd yn rhaid iddo ymarfer y darnau eraill hefyd. Sythodd ei ysgwyddau a dechrau arni.

Ei stumog wag wnaeth iddo roi'r gorau iddi yn y diwedd, ac felly aeth Dan i gael brecwast, yn fodlon iawn ar ei waith. Doedd neb yn bwyta brecwast dow-dow heddiw. Llowciai pawb eu bwyd cyn rhuthro i roi'r sglein olaf ar eu perfformiadau. Roedd Cochyn wedi gorffen bwyta ac wedi mynd yn ôl i'r stiwdio ddawns. Roedd Erin, Fflur a Ffion yn cydweithio ar un gân ac wedi mynd yn ôl i'w hystafell i benderfynu'n union beth roedden nhw'n mynd i'w wisgo. Roedd Ed a Ben yn brysur wrthi'n ymarfer y ddeuawd gitâr acwstig y buon nhw'n gweithio arni. Llywela oedd yr unig un oedd yn dal i fwyta'i brecwast. Stopiodd Dan am funud i ofyn iddi sut roedd pethau.

"Dwi'n dal i deimlo'n ofnadwy nad ydw i'n medru chwarae efo chdi, Llywela," meddai. "Sut mae petha'n mynd efo Charlie?"

Gwenodd Llywela yn gam braidd. "Mae o wedi bod yn well o'r hanner yn ddiweddar."

"Mae o'n ddrymiwr da a dweud y gwir ... " meddai Dan, " ... pan mae o'n canolbwyntio ar ei waith."

"Ydi, mae o." Cododd Llywela ar ei thraed ac yna newidiodd ei meddwl. "Dan?"

"Be?"

"Y diwrnod o'r blaen, gofynnodd Charlie i mi be fydda i'n 'neud ar ôl ffraeo efo rhywun."

"O?" gofynnodd Dan, wedi synnu'n fawr. "Be ddywedaist ti?"

"Fawr o ddim, a dweud y gwir," cyfaddefodd

Llywela. "Fe dynnodd o'r gwynt o'm hwyliau i braidd. Mae Charlie bob amser yn gymaint o jarff, ond roedd o'n swnio fel petai o wir eisio gwybod. Dwi'n meddwl ei fod o'n difaru'r hyn wnaeth o, ond ei fod o'n gwrthod cyfaddef hynny."

"Wel, fedra i ddim gwneud hynny'n ei le o."

"Wn i hynny." Petrusodd Llywela. "Roeddwn i'n meddwl y dylet ti gael gwybod. Dim byd arall. Wela i di toc."

Roedd rhywbeth ynghylch dyddiau cyngerdd oedd yn gwneud i bawb ymddwyn yn wahanol. Fedrai Dan ddim credu bod Llywela – oedd fel arfer mor bigog ac yn un anodd gwneud efo hi – yn ceisio codi pontydd rhyngddo fo a Charlie.

Wel, os ydi o eisio bod yn ffrindiau, mae o'n gwybod lle i gael hyd imi, meddyliodd Dan wrth fynd i'r ystafell ymarfer i nôl ei ddrymiau a mynd â nhw i'r theatr.

Roedd drws ystafell ymarfer Tony Jackson ar agor. Gwelodd Dan ei fod yntau'n tynnu'i offerynnau oddi wrth ei gilydd hefyd.

"Wyddost ti be?" meddai, pan sylwodd ar Dan yn

sefyllian wrth y drws. "Hoffet ti ddefnyddio fy ngêr i yn y cyngerdd."

Rhythodd Dan ar Tony. "Wir?" Roedd y rhan fwyaf o gerddorion yn trin eu hofferynnau fel petaen nhw'n aur, ac yn casáu i rywun arall gyffwrdd hyd yn oed blaen bys ynddyn nhw, heb sôn am eu chwarae.

"Pam lai? Rwyt ti a fi yn chwarae tri darn bob un. Synnwyr cyffredin ydi rhannu … a dwi'n meddwl bod y gêr yma dipyn bach gwell na dy rai di!"

Nodiodd Dan. Roedd hynny'n ddigon gwir. "Wyt ti'n siŵr?"

Chwarddodd Tony. "Wrth gwrs! Faswn i ddim wedi cynnig 'taswn i ddim o ddifri. Byddan nhw'n berffaith ar gyfer cerddoriaeth Rhian." Tawodd a thynnu'i fysedd yn ysgafn ar hyd ei ddrwm snêr. "Mmm … Ella y byddi di eisio defnyddio dy snêr di yn lle hwn pan fyddi di'n chwarae dy stwff dy hun, ac ella mynd ag un neu ddau o symbalau efo chdi, gan dy fod di'n chwarae roc yn fwy na jazz. Heblaw am hynny, dylet ti fod yn iawn. Wn i y gwnei di eu chwarae nhw'n iawn, hyd yn oed pan fyddi di'n rocio," ychwanegodd wrth weld yr olwg hurt ar wyneb Dan. "Ti'n dipyn o giamstar. Mae pawb yn gwybod hynny."

Gwridodd Dan yn falch. "Diolch yn fawr iawn!" meddai'n gyflym.

"Bydd yn rhaid iti dalu, cofia … " ychwanegodd Tony. Suddodd calon Dan i'w sodlau. Fedrai o ddim hyd yn oed fforddio bar o siocled erbyn yr adeg yma o'r tymor. " … Drwy fy helpu i i gario'r cyfan draw i'r theatr," meddai Tony.

"O! Iawn."

Gwenodd Tony ar Dan. "Dos i nôl dy symbalau gorau felly, cyn imi dynnu'r rhain oddi wrth ei gilydd, er mwyn inni weld pa rai sy'n swnio orau efo fy offerynnau i."

Er bod pawb yn cydweithio ar ddiwrnod cyngerdd, cododd aeliau amryw o bobl pan welson nhw Tony Jackson yn gadael i rywun o'r ysgol isaf drin ei ddrymiau, er mai Dan James oedd y drymiwr hwnnw.

"Wnaiff neb feiddio cyffwrdd pen ei fys yn y rhain," meddai Tony wrth iddyn nhw osod popeth yn ei le yn y theatr.

"Na wnaiff, gobeithio," meddai Dan, wedi dychryn am funud.

"Na wnaiff, yn sicr," meddai Tony wrtho'n bendant. "Dwi wedi cael gair efo Charlie Owen yn barod," ychwanegodd, gan chwerthin wrth weld wyneb syn Dan. "Dwi eisio clywed darn Rhian yn cael ei chwarae'n iawn, heb ddamweiniau!"

Gwridodd Dan. Doedd o ddim wedi sylweddoli fod cymaint o bobl yn gwybod am helynt y drymiau.

Roedd Huwcyn ap Siôn Ifan ar y llwyfan yn trefnu popeth. Nodiodd a gwenu'n fodlon pan welodd Tony a Dan gyda'i gilydd.

"Bydd hynna'n arbed tipyn o symud ac ailosod yn ystod y cyngerdd," meddai. "Da iawn."

Roedd y gynulleidfa o athrawon, rhieni a myfyrwyr oedd ddim yn perfformio tan yn hwyrach, wedi dechrau dod i mewn i'r theatr pan sylweddolodd Dan ei fod wedi anghofio'i fenig drymio.

"Mae'n rhaid i mi fynd i'w nôl nhw," meddai wrth Cochyn oedd yn gwneud ymarferion cynhesu. "Neu ga i swigod ar fy nwylo!"

Wrth i Dan droi bu bron iddo fynd ar ei ben yn erbyn Charlie. Edrychodd y ddau ar ei gilydd yn chwithig.

"Pam wyt ti'n chwarae offerynnau Tony Jackson?" gofynnodd Charlie yn gyflym.

Cododd Dan ei ysgwyddau ac edrych ar Charlie yn iawn. "Fo gynigiodd," meddai. "Pam? Oes 'na broblem?"

Ysgydwodd Charlie ei ben. "Nac oes," atebodd yn ansicr. "Wel … nac oes."

"Dwi ar frys," meddai Dan wrtho. "Mae'n rhaid imi fynd i nôl rhywbeth cyn i'r cyngerdd ddechrau. Mae'n ddrwg gen i."

Rhuthrodd yn ôl i'w ystafell, cipiodd ei fenig a brysio'n ôl. Ychydig funudau'n unig oedd yna cyn y byddai'n rhaid iddo chwarae ei unawd, sef eitem gyntaf y cyngerdd.

Wrth sefyll ar ochr y llwyfan, anadlodd Dan yn ddwfn ddwywaith neu dair er mwyn i'w du mewn lonyddu. Teimlai ar bigau'r drain – felly roedd o cyn pob perfformiad – ond pan eisteddai y tu ôl i'r drymiau, byddai popeth yn iawn.

Heddiw, er iddo chwarae ei unawd yn dda, roedd rhan o'i feddwl yn rhywle arall. Yn fwy na dim, doedd o ddim eisiau siomi Rhian a'r dawnswyr.

Moesymgrymodd i gymeradwyaeth frwd y gynulleidfa ar ôl gorffen ei unawd, ac aeth oddi ar y llwyfan. Roedd amryw o eitemau eraill cyn y byddai o'n perfformio eto, ond ni fedrai ganolbwyntio ar yr un ohonyn nhw. Roedd yn rhaid iddo gael y trawiadau ymyl yna'n iawn ar gyfer y dawnswyr.

Yna, cyrhaeddodd awr fawr y dawnswyr. Hebryngodd Dan Rhian i'r llwyfan.

Aeth y theatr yn dawel fel y bedd wrth i Cochyn a'r lleill fynd i'w lle. Gwisgai pob dawnsiwr ddillad carpiog, y rhan fwyaf ohonyn nhw'n ddillad rhyfelwyr. Roedd thema'r bachgen o ryfelwr Affricanaidd yn un gref iawn, a'r Adran Gelf wedi gwneud gwaith gwych ar y set. Roedd y gynulleidfa yn y tywyllwch – y golau llachar wedi ei anelu at y llwyfan, gyda chysgod coeden ddrain ar gefndir tywodlyd, anial yn awgrymu tir gwyllt Affrica.

Roedd y piano a'r drymiau o'r neilltu ar ochr y

llwyfan er mwyn i'r dawnswyr gael digon o le. Eisteddodd Rhian wrth y piano a nodio ar Dan i ddechrau. Y tro yma roedd yr offerynnau i gyd yn iawn, a gwnaeth Dan ei orau glas. Pan ddaeth yn bryd iddo chwarae'r trawiadau ymyl, llwyddodd i beidio cynhyrfu o gwbl. Roedd amseru'r dawnsiwr a'r cerddor yn berffaith, a syrthiodd Cochyn yn farw i'r llawr fel petai'r trawiadau ymyl yn glecian gwn yn tanio go iawn.

Roedd y gymeradwyaeth ar derfyn y perfformiad yn fyddarol. Gwenodd Rhian yn fuddugoliaethus ar Dan, a chododd Cochyn ei ddau fawd arno wrth fynd i foesymgrymu efo gweddill y dawnswyr. Sychodd Dan y chwys o'i lygaid, yn falch ac yn ddiolchgar fod popeth wedi mynd yn iawn. Dau berfformiad drosodd. Ond, roedd yr un anoddaf yn dal ar ôl.

14. Rhwng Dan a Charlie

Gwnaeth Dan ei orau glas i ymlacio wrth wylio gweddill y myfyrwyr, ond fedrai o yn ei fyw beidio poeni ynghylch ei berfformiad olaf. Ni lwyddodd hyd yn oed llais rhyfeddol Erin i fynd â'i feddwl oddi ar y peth, a chyrhaeddodd amser *'Sgwrsio'* yn rhy fuan o lawer.

Aeth ias o gyffro disgwylgar drwy'r gynulleidfa wrth i'r ail set o ddrymiau gael ei symud i ochr arall y llwyfan. Roedd deuawd drymio yn anarferol, a bu si ar led drwy'r ysgol fod Dan a Charlie wedi bod yn tynnu'n groes. Felly roedd pawb yn awyddus i weld perfformiad olaf y diwrnod.

Roedd Huwcyn ap Siôn Ifan wedi dymuno'n dda i bawb ar ddechrau'r cyngerdd, ond roedd Dan wedi ei glywed yn dweud rhywbeth ychwanegol wrth Charlie.

"Anghofia bopeth sy' wedi digwydd. Meddylia am dy ddrymio," meddai'n sarrug braidd.

Doedd Dan ddim wedi gweld wyneb Charlie. Fyddai o'n medru ufuddhau i orchymyn Huwcyn? Roedd Dan yn ddigon amheus.

Roedd y ddau wedi cytuno fod y naill yn mynd i gerdded ar y llwyfan o'r ochr chwith, a'r llall o'r ochr dde. Roedd Dan yn ei le'n barod, ond ble'r oedd Charlie?

Wrth i bob eiliad fynd heibio, teimlai Dan yn fwyfwy anesmwyth. Fyddai Charlie yn gwrthod dod i'r llwyfan? Eitha gwaith â Dan fyddai hynny efallai. Ai balchder oedd wedi ei wneud o mor benderfynol o chwarae, er bod Huwcyn wedi rhoi pob cyfle iddo beidio?

Teimlai mor ddiymadferth wrth aros i Charlie gyrraedd. Yna, fel roedd Dan ar fin rhoi'r ffidil yn y to, daeth dau lifolau ymlaen, gan ddisgleirio ar y ddwy set o ddrymiau.

Diolch byth! Y goleuadau oedd y ciw. Cymerodd Dan anadl ddofn a chamodd ar y llwyfan. Er mawr ryddhad iddo, gwelodd Charlie yn camu ar yr ochr arall a dechreuodd y gynulleidfa glapio.

Cerddodd y bechgyn tu cefn i'w drymiau. Ailosododd Charlie ei sedd.

Wel, dyma ni, meddai Dan wrtho'i hun. Yn ôl ei arfer, tynnodd ei fysedd yn dyner dros bob drwm a symbal, a sibrydodd yr offerynnau. Pan oedd o'n barod, eisteddodd yn ddistaw ar ei stôl gyda'i ffyn yn eu lle, ac arhosodd am Charlie.

Bu Charlie hydoedd cyn cydio yn ei ffyn. Erbyn hyn roedd rhai o'r disgyblion yn y gynulleidfa yn anesmwytho. Daliai Dan ei anadl.

Charlie oedd yn dechrau, felly gwyliodd Dan ei elyn yn ofalus rhag ofn iddo ddechrau'n ddirybudd. Ond am unwaith, roedd Charlie yn byhafio'i hun. Nodiodd yn gynnil ar Dan. Cododd ei ffyn.

Clatsh fyddarol ar y symbalau oedd yr agoriad. Yna, dechreuodd Charlie ar ei ddrymiau.

Sgwrs oedd hi i fod. Roedd Charlie i fod i chwarae pwt ac yna aros i Dan ateb cyn mynd ymlaen i'r cymal nesa. Ond roedd hi'n berffaith amlwg nad oedd o wedi llwyddo i anghofio'i ddrwgdeimlad yn llwyr. Doedd o ddim yn gadael i

Dan orffen ei ran cyn iddo ddechrau'r rhan nesa. Digwyddodd hyn dro ar ôl tro, er i Dan gyflymu i geisio gorffen ei ran ei hun.

Teimlodd Dan don araf o ddicter yn llifo drwy'i gorff ac ymdrechodd i beidio sgrechian. Doedd bosib fod amseru Charlie cynddrwg â *hynny*? Roedd o'n amlwg yn ceisio gwneud i Dan edrych yn hurt. Ond fyddai gwylltio'n dda i ddim yn y sefyllfa yma.

Ty'd 'laen, Charlie. Paid â bod yn hen ffŵl! meddai Dan wrtho'i hun. Roedd chwarae Charlie yn difetha'r darn ac yn gwneud i Dan swnio fel petai o heb baratoi'n iawn. Roedd yn rhaid iddo wneud rhywbeth. Fedrai o ddim gadael llonydd i Charlie fod yn geffyl blaen.

Heb rybudd, ffrwydrodd Dan gyfres o drawiadau llym ar ei ddrymiau. Aeth o'r naill offeryn i'r llall yn dyrnu pob tom, y drwm snêr, y symbalau i gyd gan daro curiadau dwfn, cyson a di-dor ar y drwm bas. Cyn i Charlie ddod ato'i hun roedd Dan wedi hawlio'r arweiniad ac wrthi'n chwarae'r cymal nesa. Chwaraeodd o hwnnw gan ddal i daro'r curiad bas nes ei fod yn uwch o lawer, fel petai'n pwysleisio mai fel hyn y dylai'r amseru fod. Atebodd Charlie, ond doedd ei amseru ddim yn gywir ac roedd ei ffyn yn betrus, fel petai o'n ansicr o'r hyn oedd yn digwydd.

Chwaraeodd Dan y cymal nesa, ac atebodd Charlie o, ond roedd y cyfan yn ymdrech iddo, fel petai'n brwydro efo'r darn. Mae'n rhaid fod ei ddrwgdeimlad yn amlwg i bawb. Ceisiodd foddi Dan drachefn, gan gyflymu'r amseriad er mwyn ceisio bod yn geffyl blaen drachefn.

Daliodd Dan ei dir a pharhau i chwarae gan gadw'n glòs at y darn, ond heb ildio dim i'w elyn. Wedi llwyddo i gael y llaw uchaf, roedd o'n benderfynol o beidio'i cholli.

Ty'd 'laen! anogodd ei hun a'i wrthwynebydd yn ddistaw. *Gwna i'r drymiau siarad! A chwaraea'n iawn! Curiad am guriad!*

Ond lwyddodd o ddim. Dylai'r darn fod wedi gorffen efo'r ddwy set o ddrymiau yn chwarae'n gytûn, ond roedd Charlie yn benderfynol o ddifetha'r cyfan, hyd yn oed ar y diwedd. Er i Dan wneud ei orau, roedd y diwedd yn rhacslyd yn lle bod yn gyflawn, heb lwyddo i wneud unrhyw fath o argraff dda ar y gynulleidfa. Rhyw gymeradwyaeth lipa gafodd y bechgyn am eu perfformiad.

Moesymgrymodd y ddau rhyw fymryn ar eu heistedd. Yna, fel roedd Charlie ar fin codi o'i le, arhosodd Dan lle'r oedd o. Doedd Charlie ddim wedi llwyddo'n gyfan gwbl i wneud iddo edrych yn ffŵl, ond doedd yr un dim wedi cael ei ddatrys rhyngddyn nhw. Difethwyd y tymor hwn i gyd gan ymddygiad Charlie. Yn ei fyw, fedrai Dan ddim gadael i bethau fod felly. Roedd yn rhaid iddyn nhw roi terfyn ar y lol i gyd, unwaith ac am byth.

Dwi ddim eisio gelyn. Eisio drymio dwi! meddyliodd yn ddig.

Berwodd ei holl rwystredigaeth drosodd, a chyn iddo fedru atal ei hun dyrnodd gyfres o drawiadau ymyl gwyllt. Pob un yn berffaith, pob curiad fel clecian gwn, yn codi mwy o ddychryn hyd yn oed na phan roedd o wedi'u chwarae ar gyfer y dawnswyr.

Petrusodd Charlie.

Roedd Huwcyn ap Siôn Ifan i lawr yn rhes flaen

y gynulleidfa a Dan wedi sylwi arno'n codi ar ei draed a golwg beth'ma braidd ar ei wyneb. Yn awr, eisteddodd drachefn, ei lygaid barcud yn gwylio'r ddau fachgen yn ofalus.

Taniodd Dan ddwy glec ymyl arall. Dilynwyd nhw gan dawelwch llethol o lawr y neuadd. Roedd y gynulleidfa wedi bod yn barod i adael ond yn awr petrusodd pawb, gan fethu deall beth oedd yn digwydd. Roedd y cyngerdd ar ben ... on'd oedd o?

Anghofiodd Dan am y gynulleidfa. Canolbwyntiodd ar gyfathrebu efo Charlie yn y ffordd roedd o'n ei deall orau. Taniodd ddwywaith eto i'r tawelwch. *Clec! Clec!*

Sialens oedd hi. Doedd dim dwywaith am hynny. Ond beth fyddai ymateb Charlie? Am funud, edrychai fel petai o'n mynd i fartsio oddi ar y llwyfan, gan adael Dan heb ateb. Ond pan ffrwydrodd clec neu ddwy arall, eisteddodd Charlie drachefn. Daliodd pawb yn y gynulleidfa eu hanadl.

Rhythodd Dan ar Charlie ar draws ehangder y llwyfan gwag ac aros. Cydiodd Charlie yn ei ffyn drymio. Roedd o'n ddigon call i beidio ateb gyda rhagor o drawiadau ymyl. Roedden nhw'n rhy anodd o lawer a nhw oedd yn gyfrifol fod Dan wedi cael y blaen arno yn y lle cynta. Yn hytrach dyrnodd gyfres o guriadau trwm ar ei dom-toms. Dyrnodd y ddwy ffon ar y tomiau ar yr un pryd. *Bam bam! Bam bam! Bam bam!* Gwrandawodd Dan am funud a chododd y rhythm ar ei fas. Yn awr roedd y ddau wedi'u cloi yn yr un curiad gyda'i gilydd. Curiad trwm, tywyll, bron yn annioddefol o angerddol. Pwy oedd yn mynd i dorri'n rhydd gynta?

Dan eto. Ymosododd ar ei symbalau, a lle'r oedd o'n arwain, dilynodd Charlie. Arafodd Dan a gadael i Charlie arwain. Tasgodd Charlie ei fetel i gyd ac yna cadwodd y cyflymder i fynd ar ei symbal bach ysgafn, heb ragor o syniadau. Roedd o'n gwylio Dan fel cudyll yn gwylio'i brae, gan geisio pwyso a mesur beth fyddai'n digwydd nesa. Gwasgodd Dan ei het uchel a'i daro'n ateb, gan newid yr awyrgylch gyda synau meddal, hyfryd fel roedd y symbal uchaf yn cau ar yr isaf.

Gwyliai'r naill y llall wrth i'r curiad newid, gan gadw rhythm, a dyrnu, ac aros am rediad arall o swn.

Bob yn ail ychwanegodd y ddau fwy o offerynnau at y curiad. Charlie yn ychwanegu tom llawr, a Dan yn rhuglo drwm snêr. Trawodd Charlie ei symbal crash tra oedd Dan yn chwarae'r symbal bach ysgafn. Chwyddai'r swn, gan godi i fod yn dwrw croch oedd yn ddigon i yrru iasau i lawr asgwrn cefn gan fferru'r galon a'r meddwl.

Erbyn hyn roedden nhw'n chwarae pob offeryn oedd ganddyn nhw, eu holl offerynnau'n sgrechian ar ei gilydd ar draws y llwyfan. Doedd yr un o'r ddau yn arwain bellach, neb yn rheoli, ond roedd y swn yn angerddol, yn llawn teimlad dychrynllyd ac yn ddigon i godi gwallt y pen a hollti clustiau. Ac roedd o'n chwyddo, yn codi i uchafbwynt anorfod.

Roedd y bechgyn wedi chwysu nes eu bod nhw'n wlyb domen, ond yn dal i chwarae ei hochr hi, a Charlie yn chwarae'n well nag y gwnaeth o ers hydoedd. Roedd y ddau guriad am guriad a'r llwyfan yn bownsio, y naill yn annog y llall, yn cyd-dynnu ac mewn harmoni o'r diwedd. Nodiodd Dan ar Charlie wrth iddyn nhw nesáu at yr uchafbwynt.

Chwaraeodd y ddau o gyda'i gilydd, gan gadw rhythm perffaith. Yna, daeth popeth i ben.

Distawrwydd. Ond nid yn hir. Neidiodd y gynulleidfa i gyd ar eu traed gan guro'u dwylo a dyrnu'u traed, a chwifio'u breichiau uwch eu pennau. Doedd neb wedi gweld na chlywed dim byd tebyg erioed o'r blaen.

Eisteddodd y ddau fachgen yn llipa ar eu stolion, eu gwalltiau'n wlyb o chwys ac yn strim-stram-strellach dros eu llygaid. Am ychydig eiliadau arhosodd y ddau yn llonydd, wedi llwyr ymlâdd. Yna cododd Dan ei ben ac edrych draw at Charlie. Yna, fel un, cododd y ddau ar eu traed, cerdded i ganol y llwyfan a moesymgrymu. Aeth y gynulleidfa'n wyllt wallgo. Yna, estynnodd Dan ei law, ac efo llygaid pawb ar y ddau, ymestynnodd Charlie ei law yntau'n araf i'w hysgwyd.

* * *

Wyddai Dan ddim sut aeth o oddi ar y llwyfan. Roedd tarannu'r gymeradwyaeth wedi dal i fynd, a dal i fynd, gyda phawb yn dyrnu'u traed ar y llawr nes i Huwcyn ap Siôn Ifan fynd ar y llwyfan i dawelu'r gynulleidfa. Daeth goleuadau llawr y theatr ymlaen ac roedd popeth ar ben.

Roedd Dan yn llongyfarch Erin, Fflur a Ffion am eu perfformiad gwych, pan synhwyrodd fod rywun yn sefyll wrth ei benelin. Charlie.

"Roedd hwnna'n ddeuawd gwych!" broliodd Erin y ddau fachgen. "Ardderchog!"

Nodiodd Charlie. "Diolch," meddai.

Ar ôl i Erin fynd, edrychodd Charlie ar Dan. "Wyt ti eisio ffeirio ffyn drymio?" gofynnodd. "Ti'n gwybod," ychwanegodd yn swil, "fel mae pêl-droedwyr yn gwneud efo'u crysau ar ddiwedd gêm?"

Edrychodd Dan ar ei ffyn. Roedd hi'n syndod eu bod nhw'n dal yn gyfan. Roedd hanner un ffon bron yn rhydd, a'r ddwy bron yn ddiwerth am eu bod wedi bylchu gymaint.

"Wel…" Dangosodd y ffyn i Charlie a chodi'i ysgwyddau. "Os wyt ti eisio nhw…"

Ond roedd golwg bryderus ar Charlie. "Na,

eisio'u *ffeirio* nhw dwi. Dy rai di yn lle fy rhai i. Edrycha."

Yn llaw Charlie roedd pâr o ffyn derw Siapaneaidd drud oedd bron yn newydd sbon. Edrychodd Dan ar Charlie. Nodiodd Charlie.

"Cer 'laen. Cymer nhw." Gwridodd a gwthiodd nhw at Dan. "Cer 'laen. I ti maen nhw ... wel ... ti'n gwybod ... "

"Iawn." Cymerodd Dan nhw. "Diolch."

Gwthiodd Llywela ei hun drwy'r criw o berfformwyr at y ddau ddrymiwr blinedig. "Deuawd ardderchog," meddai'n frwdfrydig. Yna trodd i wynebu Charlie. "Mwynheais i ein perfformiad ni hefyd," ychwanegodd. "Roedd o'n hwyl. Diolch am chwarae gystal." Rhoddodd ei breichiau am ysgwyddau Charlie a'i gofleidio'n frysiog.

Cyfarfu llygaid Charlie a Dan a gwenodd y ddau. Doedd Llywela ddim yn enwog am ei natur glên. Mae'n rhaid fod teimlad braf y cyngerdd wedi dweud arni.

Wedi iddi fynd, cliriodd Dan ei lwnc. "Wel ... "

Cododd Charlie ei ysgwyddau, gan edrych yn

chwithig iawn. Yna rhoddodd rhyw hanner gwên.

"Diolch," cynigiodd. "Roedd o'n dda … yn y diwedd." Petrusodd. "On'd oedd o?"

"O, oedd," cytunodd Dan. "Yn y diwedd roedd popeth yn *wych*! Roedden ni wir yn *hedfan*!"

"Dylen ni chwarae efo'n gilydd rywbryd eto," meddai Charlie.

"Iawn," gwenodd Dan, gan gydio yn ei ffyn newydd. "Dwi'n meddwl y dylen ni."

Ac rwyt tithau'n
dyheu am fod
yn seren bop

Drosodd mae rhai o
sêr y byd pop a roc Cymraeg
yn cynnig cyngor neu ddau
a all fod yn
gymorth iti
weld dy
freuddwyd
yn cael
ei gwireddu

Cam bach ar y llwyfan mawr

Digon o dalent?
Digon o ynni ac awydd?
Dyma chydig o awgrymiadau
i'th helpu i fod yn seren bop . . .

Rhaid iti fod yn gadarnhaol –
credu ynot dy hun, a bod yn hyderus.

Dechrau arni – paid â disgwyl.
Ymuna â chor yr ysgol neu
griw cân actol yr Urdd
neu ffurfia fand dy hun.

Does dim rhaid dilyn y dyrfa.
Paid ag ofni bod yn wahanol.

Penderfyniad – mae hwnnw'n beth mawr.
Gweithia'n galed a chanolbwyntia.

Bydd yn greadigol. Rho gynnig
ar sgwennu dy ganeuon dy hun.

Amynedd piau hi! Paid â rhoi'r
ffidil yn y to os na ddaw llwyddiant
dros nos.

Bacha'r cyfle pan ddaw
hwnnw heibio.

Rhaid bod yn barod i addasu –
rho gynnig ar wneud rhywbeth gwahanol
os bydd drws yn agor.

Tân yn y galon – mae'n rhaid
dangos ysbryd a theimlad yn
dy berfformiad.

Gwylia eraill, mae gweld a gwylio'r
sêr wrthi yn addysg ac yn bleser.
Rho help llaw i eraill.
Byddi dithau'n dysgu o
wneud hynny.

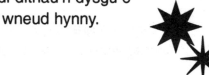

Callia! Paid ag anghofio
dy waith ysgol!

Cadw dy draed ar y ddaear a phaid
â mynd yn ben bach. Mae pawb
angen ffrindiau felly paid ag anghofio
amdanyn nhw.

Bydd yn driw i ti dy hun.

Ac yn olaf – y peth pwysicaf
un – mwynha bopeth ti'n
ei wneud!

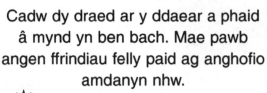

Dos amdani!
Mae'r dyfodol yn dy ddwylo di